Ov

Dwy Genhedlaeth

Owen Edwards a Mari Emlyn

Siân Thomas

Argraffiad cyntaf – 2003

ISBN 1 84323 408 8

ⓗ Siân Thomas

Mae Siân Thomas wedi datgan ei hawl dan
Ddeddf Hawlfraint, Dyluniadau a Phatentau 1988
i gael ei chydnabod fel awdur y llyfr hwn.

Dymuna'r cyhoeddwyr gydnabod cymorth
Cyngor Llyfrau Cymru.

Argraffwyd gan
Wasg Gomer, Llandysul, Ceredigion SA44 4QL

Cyflwyniad i'r gyfres

'Ife chi yw merch Tomos y Wern?'

Clywais y geiriau hynny ganwaith dros y blynyddoedd. Am wn i, roedd hynny'n rhan o'r job o fod yn ferch i weinidog adnabyddus.Wrth fynd yn hŷn, sylweddolais nad oedd yn gwestiwn a ofynnid i blant gweinidogion yn unig – rydyn ni fel Cymry'n ysu am wybod achau pawb – pwy ydi pwy, ac i bwy mae hwn a hwn neu hon a hon yn perthyn. Mae'r mwyafrif ohonon ni'n lico perthyn, hyd yn oed os nad ydyn ni'n arddel pob perthynas! Mae gwreiddiau'n bwysig i ni, ac mae teulu a bro yn dylanwadu'n fawr ar yr hyn ydyn ni.

Mae'n dipyn o jôc on'd yw hi bod pawb yn nabod pawb yng Nghymru, neu rŷn ni'n meddwl ein bod ni'n eu nabod nhw, ac ma hynny llawn cystal! Ond yn fwy na hynny, gan ein bod ni'n genedl fechan rŷn ni'n teimlo ein bod ni'n nabod pawb yn bersonol, neu o leia'n nabod rhywun, sy'n nabod rhywun arall, sy'n ffrind i'r person dan sylw! Fe gofiwch yr hen gân, dwi'n siŵr: '*I danced with the boy who danced with a girl who danced with the Prince of Wales*'.

Mae gan bob cenedl ei theuluoedd adnabyddus, lle mae dwy neu dair cenhedlaeth yn dilyn ôl traed ei gilydd. Er enghraifft, dyna'r Kennedys yng ngwleidyddiaeth America ac, yn fwy diweddar, George a George W. Bush. Wedyn dyna deulu'r Fairbanks a'r Douglases yn Hollywood, y Cusacks a'r Redgraves ym myd y theatr, i enwi ond ychydig o'r rhai mwyaf adnabyddus. Yma yng Nghymru mae yna 'nythaid o feirdd' (chwedl Gwenallt) a llenorion yn rhan o deulu'r Cilie, cerddorion a chantorion fel yr O'Neills, a llond hanner cae rygbi o Quinnells.

Yn sicr, mae natur y cyw yng nghawl pob un o'r teuluoedd yma, ond pa mor debyg, mewn gwirionedd, ydi'r ddwy genhedlaeth – y tadau a'r meibion, y mamau a'r merched, y rhieni a'r plant? Dyna drïwn ni ddarganfod yn y gyfres hon, ac wrth grafu ychydig ar yr wyneb, roi cyfle i chi'r darllenwyr wybod mwy am eu bywydau. 'Rŷn ni'n eu nabod nhw ta beth!' meddech chi. Wrth gwrs ein bod ni. Ond dyma gyfle, gobeithio, i'w nabod nhw fymryn yn well.

Nid cofiannau, na bywgraffiadau, chwaith, gewch chi ar y tudalennau canlynol. Ar hyd y blynyddoedd, yn rhinwedd fy swydd fel cyflwynydd, dwi wedi cael y fraint o holi rhai cannoedd o bobl am ddwsinau o destunau. Ar raglen deledu a radio, fel arfer, dim ond rhan fach iawn o'r atebion fydd i'w clywed – dim ond y darnau perthnasol i'r pwnc trafod ar y pryd. Ond yn y cyfrolau hyn ceir dadansoddiad o sgwrs estynedig. Pleser pur oedd cael sgwrsio am bob math o bethau a chael rhannu'r sgwrs yn llawn gyda chithau'r darllenwyr. Dyma gyfle i chi glustfeinio, a does ond gobeithio 'mod i wedi holi'r hyn byddech chi wedi hoffi'i ofyn pe byddech chi yn yr ystafell gyda ni.

Cymeriadau'r gyfrol hon

Mae'r ddau sy'n destun y gyfrol gyntaf hon yn rhan o un o deuluoedd enwoca Cymru – pedair cenhedlaeth sydd wedi gadael eu marc ar fywyd y Gymru Gymraeg, pob un yn ei ffordd unigryw ei hun. Faint o bwysau sydd arnoch chi, pan ŷch chi'n rhan o deulu fel hynny? Pa rhiweddau rŷch chi'n eu hetifeddu, a pha mor anodd yw hi i dorri'ch cwys eich hun yn wyneb y fath sylw a ddaw i chi gydag enw fel 'Edwards' yng Nghymru?

Tad a merch sydd yma, y ddau wedi llwyddo mewn meysydd cwbl wahanol. Pa ddylanwad gafodd y naill ar y llall, pa mor debyg ydi'r ddwy genhedlaeth, a pha mor wahanol ydyn nhw? Dyna rai o'r cwestiynau gaiff eu gofyn ar y tudalennau nesa.

Y mae fy niolch yn fawr i Owen a Mari am eu parodrwydd i gael eu holi gan fusnesyn fel fi, ac am fod mor onest yn eu hatebion.

Gobeithio y gwnewch chithe fwynhau'r sgwrsio gymaint ag y gwnes i.

OWEN EDWARDS

David Williams

Ganwyd: Rhagfyr 26, 1933
Man geni: Aberystwyth
Tad: Syr Ifan ab Owen Edwards
Mam: Y Fonhesig Eirlys Mary Edwards
Brawd iau: Ifan Prys
Addysg: Ysgol gynradd Alexandra Road, Aberystwyth
   Ysgol Ifan ap – Ysgol Gymraeg Aberystwyth
   Ysgol Ardwyn, Aberystwyth
   Ysgol y Crynwyr, Leighton Park, Reading
   Coleg Lincoln, Rhydychen
Swyddi: Cynorthwyydd catalogio, y Llyfrgell
     Genedlaethol
   Cyflwynydd teledu gyda Granada, a wedyn y BBC
   Trefnydd Rhaglenni BBC Cymru
   Pennaeth Rhaglenni BBC Cymru
   Rheolwr BBC Cymru
   Cyfarwyddwr cyntaf S4C

MARI EMLYN

Trwy garedigrwydd Brian Tarr, Caerdydd

Ganwyd: Chwefror 9, 1964
Man geni: Caerdydd
Tad: Owen Edwards
Mam: Shân Emlyn
Chwaer hŷn: Elin
Addysg: Ysgol Gymraeg Bryntaf, Caerdydd
   Ysgol Gyfun Llanhari
   Coleg Drama Rose Bruford, Llundain
Swyddi: Actio ar lwyfan, teledu a ffilm
   Awdur llyfrau

Cyflwyno
Owen Edwards a Mari Emlyn

David Williams

Well i ni ddechre yn y dechre â thestun sy'n gallu bod yn ddelicet, a dweud y lleia, yn enwedig wrth fynd yn hŷn! Rhaid cyfadde 'mod i'n bersonol wedi dweud celwydd droeon pan ddaw hi i'r cwestiwn hwn! Ond man a man i ni gael e mas o'r ffordd reit ar y dechre. Doedd y naill na'r llall yn poeni dim am ddatgelu'u hoed, a dyma ateb y cwestiwn ar ei ben.

OWEN: Dydd Gŵyl San Steffan, sef trannoeth y Nadolig, 1933, yn Neuadd Wen, Ffordd Llanbadarn – Swyddfa'r Urdd yn Aberystwyth. Nid Swyddfa'r

Urdd oedd hi pan ges i 'ngeni yno – digwyddodd hynny sbelen fach wedyn. Ar y pryd, ein cartref ni ydoedd. Dyna'r ffeithiau, sy'n fy ngwneud i'n hen iawn!

MARI: Y nawfed o Chwefror 1964, mewn ysbyty sydd bellach yn gartre i hen bobl, dwi'n meddwl, 'Northlands' yn Gabalfa, Caerdydd.

Mae teulu Owen a Mari yn un o deuluoedd enwocaf Cymru ers dros ganrif. Magwyd cenhedlaeth yn edrych ar lun Syr Owen M. Edwards ar wal yr ystafell ddosbarth yn yr ysgol. Y gŵr golygus yma oedd achubydd yr iaith Gymraeg mewn cyfnod pan oedd y sefydliad Seisnig am ei chladdu am byth. Does yr un Cymro Cymraeg na chlywodd am y Welsh Not, *a sut, mewn oes o wasanaeth fel Prif Arolygydd ei Mawrhydi yn ysgolion Cymru, y newidiodd O.M. statws yr iaith Gymraeg. Wedyn daeth ei fab, Syr Ifan ab Owen Edwards, a sefydlu'r mudiad a helpodd i gadw'n Cymreictod hyd heddiw – Urdd Gobaith Cymru. Mae'n amhosib mesur dylanwad yr Urdd ar barhad a thwf yr iaith Gymraeg. Felly, pa mor drwm oedd iau y teulu yn y dyddiau cynnar?*

OWEN: Fy nhad, Ifan ab Owen Edwards, mab i Syr O. M. Edwards, oedd wedi sylfaenu'r Urdd – ac ef oedd y gweithiwr caletaf dwi'n gofio erioed. Wnaeth o ddim byd ond gweithio dros yr Urdd. Bu'n golygu cylchgrawn *Cymru'r Plant* bob mis – roedd e hyd yn oed yn dod â phroflenni *Cymru'r Plant* at y bwrdd bwyd teuluol! Roedd Mam, Eirys Lloyd Phillips, yn ddisgynnydd uniongyrchol o deulu Charles, yr emynydd, ac yn un o Gymry Lerpwl. Roedd hithau, hefyd, yn weithgar iawn ym mudiad yr Urdd – yn cynllunio'r bathodyn ac yn gwneud darluniau i *Gymru'r Plant* – celf oedd ei diddordeb mawr hi. Oni bai am yr iaith Gymraeg mae'n debyg y baswn i wedi dod i'r byd 'ma flynyddoedd yn gynt nag y des i! Roedd Mam wedi dysgu'r iaith, ac mi ddywedodd fy nhad yn 1922 na fasa fo ddim yn priodi Mam nes iddi wella'i Chymraeg! Mi briodon, ac erbyn 1933 mi roedd wedi torri'i galon yn aros, ac mi gyrhaeddes i. Mi gymron nhw wyth mlynedd eto i ddod dros y sioc, ac i gael Prys, fy mrawd.

Owen a Prys

13

Gan i mi gael fy ngeni mor agos at y Nadolig, roeddwn bob amser yn teimlo 'mod i ond yn cael un set o anrhegion – 'Dolig a phen-blwydd yn un. A druan o Elin, y ferch hyna gen i, y mae hi'n cael ei phen-blwydd ar y nawfed ar hugain o Ragfyr. Felly, doeddwn i ddim wedi dysgu'r wers! Roedd fy nhaid, Owen Edwards, hefyd, wedi'i eni dros y Nadolig, felly mi roedd 'na weithgaredd mawr yn nheulu'r Edwards adeg y Nadolig.

Mari ac Elin, ei chwaer hŷn

MARI: Roedd Mam yn gerddor, yn gantores ac yn delynores – Shân Emlyn – a Dad, pan ges i 'ngeni, yn gweithio i'r BBC. Roedd gen i chwaer, Elin, oedd yn dair oed pan ges i 'ngeni, ym 1964. Cafodd Elin ei geni yn Aberystwyth, ond wedyn, oherwydd gwaith Dad, mi symudon ni i Gaerdydd, a dyna sut ces i 'ngeni yn y brifddinas. Felly dwi'n 'Cediff girl'!

'Mlaen nesa at yr addysg – y dylanwad mwya arnon ni i gyd yn ystod ein blynyddoedd cynnar. Yma eto roedd pethe fymryn yn anghyffredin, yn enwedig i Owen.

OWEN: Roedd fy addysg dipyn bach yn anghonfensiynol. Mi ddechreuais i yn Ysgol Gynradd Alexandra Road yn Aberystwyth, yn 1939, ond mi dorrodd y Rhyfel a daeth ifaciwîs o Lerpwl. Mi benderfynodd yr Awdurdod Addysg, er mwyn gwneud lle i'r newydd ddyfodiaid, fod pawb yn mynd i gael addysg hanner amser – naill ai yn y bore neu'r prynhawn, ond ddim yn y bore a'r prynhawn! Mi roedd fy nhad yn awyddus fy mod i, ac eraill o Gymry bach Aberystwyth, yn mynd i gael addysg gyflawn. Fe wrthododd yr Awdurdod Addysg ei gynnig o gael ystafell yn swyddfa'r Urdd i gynnal ysgol, felly fe sefydlwyd ysgol breifat – yn ein tŷ ni! Cafodd ei galw'n 'Ysgol Ifan Ap', a ddaeth wedyn yn Ysgol Gymraeg Aberystwyth, gyda saith ohonon ni'n ddisgyblion, dan ofal y brifathrawes, y diweddar Norah Isaac. Roedd hi'n brifathrawes arna i tan 1944, a symudon ni wedyn fel criw cynta'r ysgol Gymraeg i Ysgol Ramadeg Ardwyn. Fe synnwyd pawb ar y pryd – hynny yw, pawb oedd heb fod yn gefnogol i'r ysgol fach – ein bod ni fel disgyblion wedi gwneud mor dda yn yr arholiad *eleven plus*, nid yn unig yn y Gymraeg ond yn y pynciau eraill hefyd, ac mi ddechreuodd pobol edrych ar yr ysgol mewn ffordd wahanol.

Wedi addysg Gymraeg ac ysbrydoledig Norah, roedd addysg Ysgol Ardwyn yn gwbl Seisnig. Doeddwn i'm yn gwybod bod yr athrawon yn siarad Cymraeg, hyd yn oed, er bo'r mwyafrif ohonyn nhw'n medru'r iaith. Mi dreuliais dair blynedd yno. Wnes i ddim lot o argraff ar yr ysgol, na'r ysgol arna i, ac mi benderfynodd fy nhad, os nad oedd yr ysgol yn Gymraeg ei hiaith (a doedd 'na ddim ysgolion uwchradd Cymraeg yn unman ar y pryd, na chwaith rai da o ran addysg) nad oedd 'na ddim pwynt i mi barhau yno, ac fe'm danfonwyd yn dair ar ddeg oed i Ysgol y Crynwyr yn Reading, yn Leighton Park – ysgol fonedd, a fan'na bues i nes o'n i'n ddeunaw. Ffwrdd â fi wedyn i'r fyddin i wneud fy ngwasanaeth milwrol. Fues i ddim lot o help i'w Mawrhydi fan'na, ond tra oeddwn i yn y fyddin, mi ddysges i Rwseg. Wedyn es i i Goleg Lincoln, Rhydychen, i astudio'r gyfraith, ac yn y dewis o Goleg, dilyn ôl traed fy nhad a 'nhaid.

Fe welodd Owen a'i gyfoedion enedigaeth yr Ysgolion Cymraeg yn ystod y dyddiau arloesol hynny yn

16

Aberystwyth. Pan ddaeth hi'n amser i'w blant e
fynychu'r ysgol, roedd y sefydliad hwnnw wedi hen
ddechre cerdded a sefyll ar ei draed ei hun.

MARI: Es i Ysgol Bryntaf, yr unig ysgol Gymraeg
yng Nghaerdydd ar y pryd. Enid Jones Davies oedd
y brifathrawes pan ddechreues i, ac yna daeth Tom
Evans yn brifathro. Mi roedden ni'n rhannu'r buarth
chwarae gydag ysgol arall – ysgol Saesneg ei hiaith,
a dwi'n meddwl falle mai dyna'r tro cynta i mi
ddechrau sylweddoli bod yna wahaniaeth rhwng y
Cymry Cymraeg a'r Cymry di-Gymraeg. Yn sicr, o
ran disgyblion Bryntaf, doedd 'na ddim cwestiwn o
broblem iaith, ond o ran yr ochr gymdeithasol, pan
oedden ni allan yn chwarae, roeddwn yn ymwybodol
bryd hynny ein bod ni ychydig bach yn wahanol i
blant eraill yng Nghaerdydd.

Doedd 'na ddim ysgol uwchradd Gymraeg yn y
brifddinas ar y pryd, ac felly roedd Elin fy chwaer
wedi mynd i Ysgol Gyfun Rhydfelen. Erbyn i mi
fynd i'r ysgol uwchradd, roedd Rhydfelen yn llawn,
felly mi gafodd plant Caerdydd eu symud i ysgol
newydd, Ysgol Gyfun Llanhari, ac roeddwn i yn un
o'r ail flwyddyn i symud yno. Roedd y sefyllfa'n
hollol wahanol yn Llanhari. Roedd rhyw naw deg y
cant o blant yr ysgol yn dod o gartrefi di-Gymraeg,
ac ar ôl Bryntaf, roedd hynny'n dipyn o sioc i'r
system! Roedden nhw'n ddwy ysgol wahanol iawn.
Mi roedden ni'n gadael y tŷ am hanner awr wedi
saith y bore i fynd i'r ysgol, a ddim yn cyrraedd adre

17

tan wedi pump y p'nawn, felly mi roedd hi'n ddiwrnod hir iawn. Tra oeddwn i yno, fe wnes i Lefel A Cymraeg, Ffrangeg a Cherddoriaeth. Roeddwn i'n gwybod 'mod i isie mynd i goleg drama, a chefais fy nerbyn i Goleg Rose Bruford yn Llundain – roedden nhw eisiau dau 'E', felly doedd dim rhaid i mi weithio'n rhy galed ar gyfer y Lefel A! Ar ôl dweud hynny, mi ges i'r tri phwnc, ac off â fi i Lundain.

Dyddiau ysgol, medden nhw, yw dyddiau hapusa'ch bywyd chi. Oedd hynny'n wir i Owen a Mari?

OWEN: Does gen i ddim cof o fod yn hynod anhapus. Roedd 'nhad yn ddisgyblwr, a gan bo'r ysgol yn ein cartref ni, pe bydde pethe'n mynd yn anhrefnus, byddai Miss Isaac yn galw ar fy nhad i ddweud y drefn. Doedd ganddo ddim hawl i fod yn rhy lawdrwm ar y disgyblion, ond teimlais i mi fod yn fwch dihangol dros addysg Gymraeg ar fwy nag un achlysur!

MARI: Oedden, dyddiau hapus iawn. Dwi ddim wedi bod yn ôl i un o'r ddwy ysgol – mae 'na ryw aduniadau wedi bod, ond yn anffodus do'n i ddim yn gallu mynd. Ond baswn i'n lico mynd 'nôl i'r ysgol gynradd yn arbennig, achos mae'r atgofion yn bellach yn ôl yn y cof. Ar y pryd, roedd popeth i'w weld mor fawr – roedd y cae chwarae yn anferth, ond mae'n siŵr mai rhyw batshyn bach sgwâr oedd e mewn gwirionedd!

Fel y soniwyd eisoes, roedd addysg Owen yn wahanol iawn i'r hyn oedd yn cael ei gynnig ar y pryd. Byddai modd dadlau ei fod e, a gweddill y cywion ifanc yn ysgol fach Aberystwyth, yn rhan o arbrawf – ac yn rhan o lwyddiant yr arbrawf hwnnw. Roedd y ffaith i'w dad ddanfon ei blant i ysgol fonedd, oedd yn cael ei rhedeg gan Grynwyr, yn fentrus, hefyd. A oedd Owen yn ymwybodol, pan oedd yn fachgen ifanc, bod ei addysg e yn wahanol i'r hyn a brofodd ei gyfoedion?

OWEN: Oeddwn. Ro'n i'n sicr yn gwybod ei bod hi'n beth anghyffredin i Gymro Cymraeg fynd i ysgol fonedd, bryd hynny. Dwi ddim yn credu 'mod i'r un mor hapus i ffwrdd oddi cartref yn yr ysgol, ond doeddwn i ddim yn anobeithiol o anhapus, chwaith. Roedd fy nghyfnod yn Rhydychen yn braf, ond yn yr ysgol Gymraeg gyda Norah roeddwn i hapusa ac, yn sicr, o'r holl golegau a'r academïau y bues i ynddyn nhw, Ysgol Gymraeg Aberystwyth oedd yr un gafodd y mwya o ddylanwad arna i, a hon wnaeth fwya o les i mi, mae'n debyg.

Mae'n rhaid bod dewis yr annisgwyl yn un o nodweddion y teulu hwn. Erbyn heddi, mae dewis gyrfa ym myd actio'n beth eithaf cyffredin i Gymry ifanc. Nid felly ugain mlynedd yn ôl pan oedd Mari yn ei harddegau â'i bryd ar fynd i goleg drama. O ble daeth y diddordeb yn y theatr? Oedd e'n rhywbeth oedd yn cael ei gefnogi a'i feithrin yn yr ysgol?

MARI: Roedd pwyslais mawr yn cael ei roi ar eisteddfodau a pherfformio, yn enwedig yn Llanhari. Fe gafodd yr adran ddrama ei sefydlu pan oeddwn i yn y drydedd flwyddyn, gyda Rhiannon Rees o Abertawe yn bennaeth adran. Roedd hi'n ddylanwad mawr arna i. Dwi ddim yn gwybod beth fase wedi digwydd i mi tase'r adran ddrama ddim wedi agor yn Llanhari, ond mi wnaeth hynny danio'r brwdfrydedd, dwi'n meddwl. Yn sgil hynny, roedden ni'n cael mynd ar gyrsiau Cwmni Theatr yr Urdd, ac roedd y rheini'n ddylanwad mawr arna i hefyd. Erbyn i mi fynd i'r coleg drama roeddwn i wedi perfformio ym mhob un o'r prif theatrau yng Nghymru, ac roedd hynny'n brofiad amhrisiadwy, a dweud y gwir.

Oedd y dewisiadau yn yr ysgol, felly, yn ei harwain i berfformio'n ifanc iawn?

MARI: Oeddan, dwi'n meddwl, ac at yr ysgrifennu hefyd. Dwi'n mwynhau sgwennu, ond dim ond yn ddiweddar dwi wedi ailgydio ynddo. Dwi'n cofio Mam yn dweud y dylwn i ysgrifennu mwy, ond roeddwn i'n meddwl cymaint am berfformio, bryd hynny, wnes i ddim meddwl am y peth. Wedi iddi farw, mi ddechreuais i feddwl bod yna bethau baswn i'n lico cael eu rhoi ar bapur, ac ers hynny mae wedi bod yn rhyw fath o *rollercoaster*. Neith o ddim stopio, erbyn hyn!

Mae'r holl hyfforddiant yn un peth, ond wedi'r dysgu, daw'r chwilio am waith, ac i actor neu actores, mae'r rhan gyntaf yna yn holl bwysig – y break *i'r byd proffesiynol. O ble daeth* break *Mari, a pha fath o ran oedd y rhan gyntaf honno?*

MARI: Bues i'n lwcus – roeddwn i'n dal yn yr ysgol. Tra oedden ni'n neud rhyw gynhyrchiad drama yn Llanhari, daeth y diweddar Mervyn Owen yno. Roedd e'n gynhyrchydd yn y BBC, ac yn chwilio am rywun i gymryd rhan mewn cyfres o dair drama ar gyfer BBC Cymru – *Y Tair Merch*, dwi'n meddwl oedd eu henw nhw, ac mi wnaeth o 'newis i ar gyfer un o'r rhaglenni yma. Yn sgil hynny, ces i ran yn *Pobol y Cwm*, ond bu rhaid i mi roi'r gore i honno er mwyn mynd i'r coleg – doedd dim modd cyfuno'r ddau beth. Wedyn, y swydd broffesiynol gyntaf oedd honno gyda Stephen Bailey yn *Rhosyn a Rhith* i S4C, oedd yn cael ei ffilmio yn Aberdâr efo pobol fel Dafydd Hywel a Iola Gregory.

Mae'n rhaid bod perfformio ochr yn ochr ag enwau cyfarwydd byd y ddrama Gymraeg yn brofiad a hanner i actor ifanc. Sgwn i faint o freuddwydio wnaethpwyd dros y blynyddoedd, ac a oedd cynnal gyrfa broffesiynol trwy gyfrwng y Gymraeg yn rhan o'r freuddwyd honno, o gofio taw corff newydd oedd S4C ar y pryd, a taw dewis cymharol fychan oedd ar gael i actorion Cymraeg eu hiaith cyn dyfodiad y Sianel?

Nag oedd, feddyliais i erioed, ond dwi'n cofio i mi gael gwefr wrth fynd i'r theatr a gweld cynyrchiadau fel *Siwan* ac *Esther* yn y Sherman yng Nghaerdydd. Dwi'n cofio eistedd yno a meddwl 'dwi isie bod fan'na ryw ddiwrnod'. Yn anffodus, dyw'r theatr ddim wedi bod mor ffyniannus yn ystod y blynyddoedd ers S4C ac, wrth gwrs, mae'r cyflog yn well gydag S4C. Baswn i wedi licio gwneud mwy o waith theatr, ond dyw'r cyfle ddim wedi dod.

Heb os, mae Siwan *ac* Esther *ymhlith clasuron y Gymraeg. Er bod clasuron mewn unrhyw iaith, i nifer o berfformwyr, yn anos i'w perfformio na nifer o weithiau cyfoes, maen nhw'n rhan bwysig o c.v. yr actor ifanc. Gafodd Mari ei denu i fyd y clasuron Saesneg?*

Dwi'n hoff iawn o'r clasuron, ond er i mi dderbyn fy hyfforddiant yn Llundain, drwy gyfrwng y Saesneg, dydi o ddim yn dod mor rhwydd i mi â pherfformio trwy gyfrwng y Gymraeg. Felly, na, dydi o ddim wedi bod yn demtasiwn.

Roedd Mari'n gwybod yn ifanc iawn ei bod hi eisiau actio, ac mi lynodd wrth y freuddwyd honno. Mae nifer ohonom, pan oeddem yn blant, yn dweud beth ŷn ni isie bod ar ôl tyfu lan, ac mae'r dewis yn newid wrth fynd yn hŷn. Ychydig iawn sy'n llwyddo i droi diddordeb neu freuddwyd plentyn yn yrfa. Beth oedd Owen isie'i wneud pan oedd e'n fachgen ifanc?

OWEN: Roeddwn i isie bod yn yrrwr trêns. Roedd gen i ddiddordeb mawr mewn trenau. Roedd fy nhaid, tad fy mam, yn mynd â fi, pan oeddwn i eisiau mynd am dro yn Aberystwyth, ar hyd y caeau o gwmpas Plascrug i'r *level crossing* yn Llanbadarn i weld y trên yn codi'r tabled wrth fynd drwy'r gatiau. Doedd dim byd od, felly, mewn isie bod yn yrrwr trêns, ac efallai y baswn i wedi bod yn well gyrrwr trêns na dyn teledu, pwy a ŵyr, ond mae'r diddordeb mewn trêns wedi bod gen i erioed, ac yn dal yn ddiléit mawr!

Bu wrth y llyw droeon yn ystod ei yrfa, ond a ddaeth y cyfle erioed i yrru trên go-iawn?

OWEN: Naddo, dwi ddim wedi gyrru trên, ond dwi wedi bod i fyny *up-front* ar y trên cyflym o Gaerdydd i Lundain, ac roedd hynny'n dipyn o wefr. Ches i erioed yr amser i eistedd ar blatfform a chymryd rhifau trenau, felly bu rhaid i mi fodloni ar gasglu pethau'n ymwneud â threnau, ac mae gen i nifer o drugareddau trenaidd yn y tŷ, gan gynnwys trên bach.

(Roedd set hyfryd o drenau bach mewn un ystafell yn ei gartref, a graen gofal cariadus iawn arnyn nhw. Roedd Owen wrth ei fodd yn dangos y casgliad o gerbydau a thryciau – nifer fawr ohonyn nhw'n dod o Gymru, ac wedi'u casglu dros flynyddoedd lawer.)

23

David Williams

Dal i fwynhau'r trên bach!

*O freuddwydio plentyn, 'nôl â ni at realiti dyddiau
coleg. Roedd Owen eisoes wedi sôn bod ei ddyddiau
coleg yn rhai hapus iawn. Llundain oedd dewis
Mari, ac er ei bod yn ferch o'r ddinas, roedd
Llundain yn brifddinas wahanol iawn i Gaerdydd.*

MARI: Yn rhyfedd iawn, fe wnes i 'run peth â'm
chwaer. Fe wnaeth hithe byncie Lefel A, yna mynd i
Lundain i astudio cerddoriaeth. Mi astudiais yr un
pynciau â hi yn yr ysgol, ond mynd i Lundain i
astudio drama. Dwi'n meddwl bod y ddwy ohonom,
yn annibynnol ar ein gilydd, mewn ffordd, am
dorri'n cwys ein hunain. Doeddwn i ddim yn mynd i
ddilyn y 'norm', a mynd i Aberystwyth neu Fangor.
Dwi'n meddwl falle basen ni wedi cael amser caled
yn y colegau hynny, felly fe fuon ni'n llwfr, ac osgoi
hynny, a mynd i Lundain.

Pam amser caled?

Yn ôl beth roedd ffrindiau yn 'i weud, roedd pobol
oedd yn amlwg yn gyhoeddus, neu yn dod o gefndir
cyhoeddus, wel, do'n nhw ddim yn cael *get away* efo
pethe, a dwi'm yn meddwl y baswn i wedi chwaith!

Felly, a oedd Llundain yn lle i guddio ynddo?

Oedd, a hefyd o safbwynt y ddrama, wrth gwrs, i
fan'na ro'n i isie mynd. Y dewis arall fyddai Coleg
Cerdd a Drama Caerdydd. Gan fy mod yn byw yng

25

Nghaerdydd beth bynnag, roeddwn yn awyddus i adael y ddinas, i brofi bywyd yn rhywle arall. O ran dewis coleg, wel, gan fy mod wedi cael fy nerbyn i Lundain, dyna oedd y dewis naturiol.

Ond ar ôl gwneud y dewis, oedd dyddiau Llundain yn rhai hapus?

Oeddan, ond roedd gen i hiraeth mawr, nid yn unig am y cartre, ond am ffrindie. Roeddwn i'n clywed amdanyn nhw'n cael hwyl yn yr eisteddfodau rhyng-golegol a ballu. Dwi'n dal i deimlo, pan dwi yn eu cwmni, bod eu cylch nhw lot ehangach – eu bod nhw'n nabod pobol ar draws Cymru i gyd. Dwi'n teimlo 'mod i wedi colli allan yn gymdeithasol yn hynny o beth, ond dwi ddim wedi difaru mynd i Lundain o gwbl. Cofiwch, doedd dim cwestiwn wrth fynd i Lundain na faswn i ddim yn dod yn ôl – doedd hynny ddim yn gwestiwn o gwbl.

O gofio'r cyfnod a'r hen ddywediad am 'beidio â rhoi eich merch ar lwyfan' (maddeuwch y cyfieithu sâl!), beth oedd ymateb ei rhieni i'w dewis hi o yrfa?

Cefnogol iawn, bob tro, nid yn unig o ran gyrfa, ond ym mhob agwedd o fywyd.

Er na ddaeth y cyfle i yrru trên, mi ddilynodd Owen ei 'lein' ei hun yn y fyddin, ac yn Rhydychen, ond pan ddaeth dyddiau myfyriwr i ben, oedd 'na

bwysau arno i ddychwelyd adre? Fel y mab hynaf,
oedd 'na ddisgwyliadau – oedd y teulu'n awyddus
i'w weld yn dilyn yn ôl traed ei dad?

OWEN: Wel, roedd fy nhad yn awyddus iawn i mi
ddod 'nôl i Aberystwyth, a chymryd drosodd
awenau'r Urdd – achos i 'nhad, yr Urdd oedd ei
blentyn cyntaf – Urdd Gobaith Cymru oedd y
plentyn cynta, Owen Edwards oedd yr ail, a Prys
Edwards oedd y trydydd. Roedd yn awyddus iawn,

wrth gwrs, i sicrhau bod dyfodol yr Urdd yn ddiogel. Dwi'n credu iddo obeithio y baswn yn dychwelyd i Aberystwyth, ymarfer y gyfraith yno, a gweithio dros yr Urdd, ond nid felly y bu. Roeddwn i am dorri fy nghwys fy hun, ac mi ddechreuais, ar ôl gadael Rhydychen, ar y jobyn mwya diflas y galla i feddwl amdano, sef *Cataloguing Assistant* yn y Llyfrgell Genedlaethol, a hynny am £415 y flwyddyn. Cyn pen dim, mi ddechreuais i hel llwch – fel silffoedd y llyfrgell! Roedd pawb yno'n garedig iawn, ond fwriadwyd mohono i ar gyfer y Llyfrgell, na'r Llyfrgell ar fy nghyfer i. Yn ystod y cyfnod hwn, hefyd, roeddwn i wedi dechre cyflwyno rhaglenni teledu yn y Gymraeg, gyda Granada. Unwaith yr wythnos roeddwn yn gwneud *Dewch i Mewn*, gyda Rhydwen Williams yn cynhyrchu. Er taw ychydig o raglenni Cymraeg oedd 'na ar y pryd, mi roedd y dwymyn deledu wedi gafael arna i. Roeddwn yn gyrru ben bore Llun o Aberystwyth i Fanceinion, cyflwyno rhaglen, a dod 'nôl nos Lun – gweithio pob math o oriau er mwyn cael gwneud y rhaglenni. Felly, pan ddaeth y cyfle i ddweud 'gwdbei' wrth y Llyfrgell, ac ymuno â byd darlledu yn y Gymraeg, bant â fi. Wedi gwneud *Dewch i Mewn* am ryw ddwy flynedd, daeth 'na wahoddiad gan Nan Davies yng Nghaerdydd. Roedd *Heddiw* newydd ddechre, ac roedd Aled Rhys Wiliam, y cyflwynydd cyntaf, wedi'i daro'n wael. Mi ofynnodd Nan i mi faswn i'n cyflwyno *Heddiw* yn ei le. Roedd hynny ym 1961, ac am wn i, y blynyddoedd wedyn oedd adeg hapusaf fy mywyd i, achos ro'n i wrth fy modd yn cyflwyno. Mi roedd cyflwyno fel cyffur yn y gwaed – rŷch chi fel gwerthwr mewn siop, chi sy'n gwerthu'r nwyddau i'r gynulleidfa. Falle taw 'nghamgymeriad mwyaf oedd gorffen efo'r cyflwyno a mynd i job weinyddol pan wnes i, achos efo cyflwyno, gynted ag ŷch chi wedi gwneud y rhaglen, mae'ch cyfrifoldeb chi drosodd, ond pan ŷch chi'n gweinyddu, mae'r holl feichiau – bagad gofalon bugail – ar eich sgwyddau chi o hyd.

Owen wrth ei waith yn nyddiau Heddiw

Erbyn hyn roedd Owen a'i deulu bach wedi ymgartrefu yng Nghaerdydd, yn y brifddinas. Ydi e'n ddyn y ddinas?

Mi briododd Shân a finne yn Aberystwyth ym 1958, a gwneud ein cartref cyntaf yno – yn agos at ble roedd Mam a 'Nhad yn byw, a dyna lle ro'n ni'n byw pan oeddwn yn gweithio yn y Llyfrgell Genedlaethol. Wedyn, pan ddaeth *Heddiw*, mi fues i am sbel yn comiwtio o Aberystwyth i Gaerdydd. Ganwyd Elin, y ferch hynaf, yn Aberystwyth, ond erbyn i Mari gyrraedd, roedden ni wedi symud i Gaerdydd, ac rŷn ni wedi bod yma ers hynny, ac wedi bod yn hapus iawn yma.

Os taw dyddiau cyflwyno Heddiw *oedd dyddiau hapusa ei fywyd, pam rhoi'r gore i gyflwyno, ac yntau ar y brig?*

Dwi'n amal wedi amau doethineb y penderfyniad o adael cyflwyno, ond dim ond *Heddiw* a'r *Dydd* oedd 'na fel rhaglenni dyddiol bryd hynny – fel ŷch chi'n gwybod, doedd S4C ddim yn bodoli. Gan fy mod i, yn rhinwedd fy swydd fel cyflwynydd, yn greadur oedd yn ymddangos ar y sgrîn yng nghartrefi pawb bob dydd – mynd i mewn heb guro ar y drws, fel petai – ro'n i'n teimlo, ar ôl wyth mlynedd, bod modd gor-aros eich croeso, ac mai'r amser i fynd oedd pan fasa pobol yn dweud 'O, hen dro ei fod o wedi mynd', yn hytrach na 'Hen bryd iddo fynd'!

Falle bo' nhw'n dweud hynny beth bynnag, ond fe awgrymodd y BBC y byddai'n beth da i mi gael ychydig o brofiad gweinyddol ac mi fanteisiais ar y cyfle. Felly, ym 1967, ces i 'mhenodi yn Drefnydd Rhaglenni – job edrych ar ôl pres yn fwy na dim, a falle bo' nhw isie Cardi ar gyfer y job, a dyna pam ofynnon nhw i fi! Yn y swydd honno, bues i'n gweithio'n agos iawn gydag Aneirin Talfan – roedd gen i barch mawr tuag ato, ac mi ddeuthum yn ffrindiau mawr iawn ag o. Mi ofynnodd o i mi fasa gen i ddiddordeb yn ei olynu o fel Pennaeth Rhaglenni, sef y brif swydd greadigol/weinyddol, ac mi wnes. Roedd hynny'n dipyn o syndod i bawb, dwi'n credu, achos dwi'm y creadur mwya creadigol! Falle 'mod i'n greadur gwleidyddol, cofiwch, felly pan ges i 'ngwneud yn Rheolwr BBC Cymru ym 1974, roedd honno'n swydd fwy cydnaws â fi. Roeddwn yn weinyddwr da yn hytrach nag yn ddyn creadigol, ac roeddwn yn hapusach yn delio gyda gwleidyddiaeth darlledu. Bues i wrthi am saith mlynedd, a jest fel ro'n i'n meddwl 'Lle'r a' i nesa?', beth ymddangosodd ar y gorwel, yn wyrthiol, ond S4C. Gallech chi ddweud bod S4C wedi dod yn rhagluniaethol i mewn i 'ngyrfa. Bues i yno, fel y gwyddoch, fel Cyfarwyddwr, nes i'r iechyd dorri, a daeth y cyfan i ben ym 1989.

(Bues inne'n aelod o staff Owen yn ystod ei gyfnod yn S4C. Roeddwn i'n un o'r cywion gyflwynwyr ar ddechre S4C ym 1982, a bu ei brofiad fel cyflwynydd

31

yn amhrisiadwy i ni. Bu'n hael iawn â'i gyngor a'i gymorth, mewn dyddiau lle roedd rhywun yn gorfod torri'i ddannedd yn gyhoeddus iawn. Bu'n treulio oriau lawer yn y stiwdio fach, yn rhannu sigarét a stori gyda'r criwiau technegol, ac unwaith y flwyddyn deuai cyfle iddo ddianc o'r swyddfa, diosg 'bagad gofalon bugail' ac ymddangos ar y sgrîn fach unwaith eto. Mi roedd y wên o fwynhad o gael bod yn ôl o flaen y camera i'w gweld yn amlwg o dan ei farf wen a'i wisg Siôn Corn yng nghlwb y plant bob Nadolig!)

Dyna ychydig o hanes dyddiau cynnar y ddau a dechre'u gyrfa. Y cam nesa oedd olrhain y berthynas rhyngddynt, gan ddechre gyda'r atgofion cyntaf.

OWEN: Yr atgof cyntaf un oedd gweld Mari ychydig ar ôl ei geni. Cafodd ei geni yn yr *home for unmarried mothers*, sef cartref Byddin yr Iachawdwriaeth yn North Road, Gabalfa, yng Nghaerdydd! Roedd hyn a hyn o *paying guests* yn cael mynd yno i gael geni eu plant, ac roedd hyn yn helpu talu am le i'r mamau dibriod. Rwy'n cofio'r tro cyntaf y gweles i Mari – roedd hi'n nos Sul, ac roedd y mamau dibriod yn cynnal gwasanaeth yn y wardiau, ac yn cydadrodd Gweddi'r Arglwydd yn Saesneg. Dwi'n cofio'u clywed yn dweud *'lead us not into temptation'* pan oedd rhai ohonyn nhw wedi bod yno dair neu bedair gwaith! Es i ag Elin yno i weld ei chwaer fach, a twmpen fach oedd hi'r dyddie hynny. Dyna'r atgof cyntaf.

Roedd Owen yn ddyn prysur iawn, a bu'n rhaid treulio oriau lawer oddi cartref yn rhinwedd ei swydd. Pan ddaeth y cyfle, oedd e'n dad oedd yn lico chwarae gyda'r plant a threulio amser yn eu cwmni?

O oeddwn, ro'n i wrth fy modd ac yn cael lot o hwyl, yn enwedig ar benwythos, ac ar ddydd Sul gartref. Oherwydd daliadau gwaith, doeddwn i ddim yn gweld gymaint arnyn nhw ag y baswn i wedi licio, ac roedd hynny'n golled i mi. Roeddwn i i

ffwrdd gyda'r gwaith am oriau hir pan o'n i'n darlledu'n fyw. Er, beth sy'n od, roedden nhw, wrth gwrs, yn fy ngweld i ar y teledu bob nos, ac roedd Shân yn gorfod glanhau'r set deledu yn tŷ ni bob dydd, achos roedd Mari'n rhoi swsys i'w thad ar y sgrîn pan o'n i'n cyflwyno *Heddiw*.

Dwi'n cofio un Nadolig, roedd y plant yn fach iawn, ac mi roeddwn i i fod i gyflwyno rhaglen ar Ddydd Nadolig. Wel, mi wrthodais, gan fy mod isie treulio'r Nadolig gyda'r teulu. O ganlyniad, mi ofynnodd y BBC, os na fyddwn i'n gweithio, a fyddai modd iddyn nhw ddod aton ni fel teulu, a gwneud rhaglen Nadolig o'n tŷ ni. Dyma gytuno. Wel, mi ddaeth y criw i gyd ac, wrth gwrs, roedd y tŷ dan ei sang o beirianwyr, ac offer ym mhobman. Er mwyn ei chadw mas o ffordd pawb, dyma roi Mari ar ei *photty* yn yr ystafell fyw, a dyna lle buodd hi, nes i ni anghofio bron amdani, a phan godwyd hi oddi ar ei 'gorsedd', roedd ganddi gylch – marc y *potty* – ar ei phen-ôl! Daeth hi'n amser darlledu'n fyw, ac mi ddaeth Cymru i mewn i'n cartref i'n gweld ni'n dathlu'r Nadolig. Roedd y plant, wrth gwrs, yn agor eu hanrhegion, ac ar ôl agor un anrheg, a roddwyd gan anti iddi, dyma Mari'n cymryd un olwg arni a'i thaflu o'r naill ochr a dweud. 'Ych!' Dyna ddangos ei theimladau yn ddigon clir, a hynny yn fyw o flaen y genedl gyfan. Ceson ni lot o hwyl, a'r hyn sy'n ddiddorol yw, o'r holl raglenni wnes i dros y blynyddoedd, honno y bu pobol yn ei chofio ac yn sôn amdani fwyaf.

Beth oedd Mari'n ei gofio am ddyddiau plentyndod?

MARI: Cofio magwraeth hapus iawn – y tŷ yn llawn chwerthin a hwyl, yn enwedig yn ystod fy nghyfnod cynnar yn blentyn. Roedd y tŷ yn dŷ cymdeithasol iawn, roedd yna lot o bartïon – llawer iawn o bobol yn dod i aros dros nos; pobol oedd yn gweithio efo Dad yng Nghaerdydd am gyfnod, pobol yn dod lawr i bregethu yn y capel – ac roedd pawb yn aros acw. Roedd y drws wastad ar agor. Fy nghof cyntaf o Dad ydi rhoi swsys iddo ar y sgrîn bob nos, pan oedd o'n cyflwyno *Heddiw*, achos dyna oedd ei swydd o pan o'n i'n blentyn bach. Dydd Sul oedd ein diwrnod ni fel teulu. Roedd Dad yn gweithio oriau hir yn darlledu, a wedi iddo fo ddechre gweithio gyda'r BBC ar yr ochr weinyddol yn hytrach na chyflwyno, roedd yn gorfod teithio lot i Lundain a ballu, wedyn dydd Sul oedd y diwrnod teuluol. Y peth cyntaf fyddai'n digwydd oedd Dad yn gwneud paned i Mam yn y gwely, a wedyn cyn i Dad gael cyfle i yfed ei baned o, roedd Elin a fi'n gofyn am reid mul ar ei gefn. Roedd o'n mynd â ni i ben y grisiau a smalio lluchio ni lawr. Fel 'na roedd pob dydd Sul yn dechre. Wedyn, ella basan ni'n mynd i'r capel, a doeddwn i ddim yn meindio hynny o gwbl, achos roedd o'n *entertaining* iawn. Roedd Dad yn *tone deaf* – mae o'n dal yn *tone deaf*, ac mae o'n ddifyr iawn pan ŷch chi'n trïal canu mewn tiwn wrth ei ochr o! Wedyn, bob cinio Sul, hoff bwdin Dad ar y pryd oedd hufen iâ Thayers a banana. Bob tro'n ddi-

35

ffael roedd Elin a fi'n cuddio'r bananas, ac roedd hynny'n 'i yrru fo'n wallgo!

OWEN: Shân, wrth gwrs, oedd yn gwneud y disgyblu. Roedd hi, fel y rhan fwyaf o famau ar y pryd, gartre gyda'r plant. Hi oedd yn gwneud yr holl wersi gyda nhw, a phopeth oedd yn digwydd o ddydd i ddydd. Ac iddi hi mae'r diolch am fod y merched mor gerddorol, Elin yn arbennig gyda'r ffidil – diddordeb drodd yn yrfa broffesiynol iddi wedyn. Gyrrwr tacsi a thalwr biliau oeddwn i! Roeddwn i'n mynd ag Elin ar benwythnos i Fryste am wersi ffidil, a mynd â Mari efo'i thelyn i ganolfan Glan y Fferi, ac roedd hynny bob amser yn gyfle da i sgwrsio. Rhaid brysio i ddweud taw nid o'wrtha i y cawson nhw'r dalent gerddorol – dwi'n *tone deaf*, ac yn destun lot o hwyl, fel mae Mari'n siŵr o ddweud.

Roedden nhw'n deulu o berfformwyr, felly, Mam yn gerddor a Dad yn gyflwynydd. Mae'r merched wedi dilyn ôl traed eu rhieni, i raddau helaeth iawn – un ar yr ochr lafar a'r llall ar yr ochr gerddorol. A gafodd y naill genhedlaeth ddylanwad ar y llall, ac a fu hyn yn gyfrifol am lywio dewisiadau Mari ac Elin?

MARI: Digon posib. Ma pethe fel'na'n gallu rhedeg mewn teuluoedd. Os ydi'ch tad chi'n gigydd, digon posib mai chi fydd yn rhedeg y siop gig ar ei ôl, neu os ydi'ch teulu chi'n ffermio, falle ewch chi i'r un maes, ond doedd o ddim yn benderfyniad 'Dwi am fynd i'r un maes â Dad neu Mam'. Fuodd dim pwysa arnon ni mewn unrhyw ffordd i fynd i unrhyw faes. Roedden nhw'n gefnogol iawn o unrhyw beth ro'n i isie neud. Dwi'n meddwl bo' Dad felly oherwydd iddo fe gael gyrfa go anghonfensiynol. Roedd o'n mynnu ein bod ni'n deulu oedd yn gallu sefyll ar ein traed ein hunain. Dwi'n 'i gofio fe'n mynd yn eitha rhwystredig weithiau pan oedd rhieni rhai o'm ffrindie, neu 'nghydnabod, yn ffonio i ofyn am eirda i'w plant ar gyfer cyfweliad neu swydd – roedd o'n methu dallt pam na fase'r plant eu hunain yn ffonio. Felly dwi'n meddwl i mi ddysgu oddi wrth hynny. Rhaid sefyll ar fy nhraed fy hun, ac yn hynny o beth dwi'n ddiolchgar iawn iddo.

'Dad ydi dad' i bob plentyn, wrth gwrs, ond a oedd Mari'n ymwybodol o'i chefndir, o'r teulu, a phwy oedd Dad yn arbennig? Oedd ei swydd e'n golygu unrhyw beth iddi pan oedd hi'n blentyn?

MARI: Aeth Dad yn Rheolwr y BBC pan oeddwn i yn yr ysgol gynradd, a dyna'r tro cyntaf i mi fod yn ymwybodol bod yna bobol yn genfigennus o'i sefyllfa fo. Mi wnaeth un athro dynnu sylw at ei benodiad, y bore y cyhoeddwyd o, a 'mychanu i o flaen dosbarth oedd yn hŷn na fi. Dyna'r profiad cyntaf ges i o hynny – lle ma rhai pobol yn chwerw a chenfigennus. Roeddwn i tua deg oed, felly, pan

37

Dad wrth ei fodd gyda'r plant

sylweddolais i nad oedd bod yn llygaid y cyhoedd o anghenraid yn fêl i gyd. Ond i mi, gartre, roedd Dad yn Dad, yn dad cyffredin – doeddwn i ddim yn ei weld e na'i swydd yn rhyfedd.

Roedd Mam, hefyd, yn ffigwr adnabyddus, ac yn llwyddiant yn ei maes ei hun.

Wel oedd. Pan fuon nhw'n mynd efo'i gilydd ar y dechre, ac yn fuan ar ôl iddyn nhw briodi, gŵr Shân Emlyn oedd Dad. Mae'n od meddwl am hynny, ond erbyn i mi gyrraedd fy arddegau, roedd Mam wedi stopio ei gyrfa broffesiynol. Yr unig bwysau dwi'n cofio oedd yn ymwneud â'n rhieni, oedd pan oedd pobol yn disgwyl i mi fedru canu. Dwi'n cofio mynd i *recitals* i glywed Mam ac, ar y diwedd, dod allan o'r gyngerdd a phawb yn dweud – 'Dach chi am fynd i ganu pan 'dach chi'n hogan fawr?' Gwnaeth hynny fi'n ofnadwy o nerfus wrth ganu'n gyhoeddus.

Ydi Mari'n gallu canu? Ydi hi wedi etifeddu talent ei mam, felly, neu ydi hi'n dilyn ei thad?

Dwi'n gallu canu'n o lew – ddim ar lefel broffesiynol, ond dwi'n mwynhau canu. 'Sa rhywun yn gofyn i mi ganu ar fy mhen fy hun ar lwyfan, basa hynny'n fy neud yn nerfus iawn, a dwi'n meddwl bo' hynny yn deillio o'r disgwyliadau hynny pan o'n i'n blentyn. Ches i mo hynny gan Mam. Fuodd hi erioed yn un oedd yn disgwyl i ni wneud unrhyw beth, yn gerddorol nac mewn unrhyw faes arall, ac yn sicr ches i mo'r nerfusrwydd ynglŷn â pherffformio'n gerddorol gan Dad, achos dydi o ddim yn dallt cerddoriaeth. Disgwyliadau pobol y tu allan i'r teulu sy'n fy ngwneud i'n nerfus. Ond dwi'n siŵr i mi etifeddu'r mwynhad o gerddoriaeth gan Mam.

Oedd y tŷ yn gartre cerddorol, felly?

Cerddorol iawn, rhwng fy chwaer a Mam. Roedd 'na biano, roedd 'na delyn, roedd 'na ffidil, roedd 'na gorn Ffrengig, Mam yn canu, a Dad yn gwrando! Ar ôl ymarfer ar gyfer arholiad piano, fel gwobr, basan ni'n cael rhoi prawf i Dad, sef gwneud iddo fe ganu ambell nodyn, ac roedd clywed hwnnw'n canu, mor chwerthinllyd, yn gwneud yr ymarfer yn werth-chweil, y creadur!

Mae'n aelod o un o deuluoedd enwoca Cymru. Oedd hi'n ymwybodol o hynny'n blentyn, a phwy oedd Taid a Hen Daid?

Roedd hi'n anodd peidio bod yn ymwybodol ohono fo, ond fuodd o erioed yn broblem fawr. Dwi'n meddwl falle, er nad oedd e'n broblem i Dad, ei fod e'n fwy o gysgod arno fo, yn fwy o bwyse arno fo. Roedd 'na lun ro'n i'n licio o O.M. a Taid a Dad, ac roedd 'na deitl ar ei waelod – 'yr olyniant'. Dwi'n cofio'i ddangos o i Dad a deud, 'Ma hwnna'n lun neis!' a Dad yn dweud, 'Na, ma hwnna'n lun creulon!' Doeddwn i ddim yn dallt beth oedd o'n feddwl ar y pryd, ond rŵan, pan ma rhywun yn aeddfedu, ma rhywun yn dallt yn well. Erbyn fy nghenhedlaeth i a'm chwaer, wel dwi'n siŵr y gall y ddwy ohonon ni ddweud nad oedd o wedi bod yn bwysa arnon ni o gwbl.

Sgwn i a fydde fe wedi bod yn fwy o bwysau pe bydden nhw'n fechgyn?

Diddorol. Dwi ddim yn gwybod, ac mae'n amhosib

gwybod. Dwi'n meddwl bo' Mam a Dad yn ddigon call, ac mai nhw sydd wedi mynnu bod o ddim yn broblem i ni – fuodd e erioed yn *issue*.

OWEN: Yn sicr ma rhywun yn ymfalchïo yn yr hil – ma hynny'n anorfod, ond ma hil yn gallu taflu cysgod hefyd, ac ma cysgod yn gallu gwarchod neu guddio. Mi roedd yn codi braw arna i pan o'n i'n ifanc i glywed pobol yn dweud, 'Os byddwch chi hanner cystal dyn â'ch tad . . .' Alla i ddim cymharu fy hun â'r teulu, a fydde hynny ddim yn deg beth bynnag. Mi weithiodd Dad a 'Nhaid yn ddiflino, yn wirfoddol, dros y Gymraeg, a llafur cariad oedd hwnnw. Bues i'n ddigon ffodus i gael fy nghyflogi i weithio trwy gyfrwng y Gymraeg a dros y Gymraeg. Mi nethon ni'n tri ddefnyddio cyfrwng oedd yn berthnasol i'r oes ac, yn fy nghyfnod i, darlledu oedd y cyfrwng hwnnw.

Deimlodd Mari erioed ei bod yng nghysgod ei mam neu ei thad?

Na, ddim felly, ond fod pobol wastad yn cyfeirio ata i fel merch Shân Emlyn neu ferch Owen Edwards. Yr unig beth, weithiau, yw clywed pobol yn dweud am rywun sy'n perthyn i rywun arbennig, eu bod wedi cael y swydd yna oherwydd y cysylltiad. Ma hwnna, wedyn, yn gwneud i ddyn holi cwestiynau am ei sefyllfa fo ei hun – 'Ydw i wedi cael y swydd yma ar fy merit fy hun?' Pe byddech chi'n mynd gormod lawr y llwybr yna, byddech chi'n hollol *paranoid*. Yn sicr, nath Dad erioed ddefnyddio'i awdurdod i hyrwyddo fy ngyrfa i na gyrfa fy chwaer – unwaith eto, mi roedd yn mynnu bo' ni'n ffindio'n ffordd ein hunain drwy fywyd.

Mae'n debyg ei fod yn anorfod ein bod yn etifeddu rhai pethau oddi wrth ein cyndeidiau. Beth oedd Owen a Mari'n meddwl iddyn nhw etifeddu?

OWEN: Fel fy nhad, a fy mam, mae'n debyg, mi etifeddais synnwyr o ddyletswydd. Roedd dyletswydd yn bwysig iawn – gwneud yr hyn oedd yn iawn, yn enwedig lle mae'r Gymraeg yn y cwestiwn. Dyletswydd i hybu'r iaith. Dwi'n sicr wedi etifeddu hynny.

MARI: Dwi wedi etifeddu hiwmor Dad, a'i synnwyr o ddigrifwch. Bydde rhaid i chi ofyn i rywun arall a ydw i wedi etifeddu rhai o'i rinweddau eraill.

Allen nhw fyw gyda'i gilydd nawr?

MARI: Er cymaint dwi'n ei garu fo, baswn i'n 'i ffeindio hi'n anodd iawn i fyw efo fo rŵan, a dwi'n siŵr basa fo'n ymateb 'run fath. Rydyn ni i gyd yn newid wrth fynd yn hŷn, ac yn dod i lico gwneud pethe yn ein ffordd ein hunain. Mae'n anodd iawn troi'r cloc yn ôl a byw 'run ffordd ag yr oedden ni flynyddoedd yn ôl, yn enwedig ar ôl blynyddoedd o fyw ar wahân, a phlesio'n hunain. Rydan ni'n newid, a dyw hynny ddim yn beth drwg nac yn beth da. Mae e jest yn ffaith.

OWEN: Wrth fynd yn hŷn, yn fy achos i, dwi'n mynd yn fwyfwy o ffrindiau efo 'mhlant – perthynas ffrindiau yn hytrach na rhiant a phlentyn sydd gyda ni rŵan, a dwi'n lwcus iawn yn y merched. Fel mae pethe ar hyn o bryd, dwi'm yn teimlo fy mod yn gweld digon ohonyn nhw, ond ar ôl dweud hynny, basa'n anodd iawn i ni gyd gyd-fyw. Dwi wrth fy modd yn eu gweld nhw a'r wyrion – dwi'n mwynhau'n fawr iawn yn eu cwmni nhw.

Beth maen nhw'n lico fwyaf am ei gilydd?

MARI: Dwi'n lico hiwmor Dad. Mae e wedi llwyddo yn y gorffennol i godi cywilydd mawr arna i o flaen cariadon a ffrindiau oedd yn dod i'r tŷ. Roedd yn dynnwr coes heb ei ail. Dwi'n cofio rhyw dro, criw o ffrindiau coleg yn dod acw, un ohonyn nhw'n hoyw, ac mi ddaeth Dad allan o'r gegin gyda llond *tray* o goffi a the yn ei ddwylo, yn gwisgo ffedog, ac yn dweud ei fod e wedi bod yn chwysu drwy'r p'nawn yn gwneud *fairy cakes*. Mi dorrodd yr iâ yn syth, a gwneud i bawb chwerthin.

OWEN: Mae Mari'n styfnig fel mul, sy'n gallu bod yn rhinwedd ac yn wendid. Mae'n ddawnus iawn, wedi ysgrifennu nofel dda iawn yng nghystadleuaeth y Fedal Ryddiaith yn yr Eisteddfod, ac wrthi'n ysgrifennu un arall. Mae'n heintus o fyrlymus pan ŷch chi yn ei chwmni hi. Fel dwedes i, mae'n gallu bod yn benstiff, ond mae'n ferch braf iawn, ac mi rydan ni'n ffrindie mawr.

Ydi e'n gweld rhywfaint ohono fe ei hun ynddi?

Nagw. Ma lot mwy o ddawn gan Mari. Cofiwch chi, dwi'n gallu bod yn benstiff ar adegau hefyd, felly efalle bo' ni'n debycach nag ŷn ni'n meddwl!

MARI: Dwi'n berson llawer mwy emosiynol na Dad – dwi'n debycach i Mam yn hynny o beth. Mae Dad a fi nid yn unig yn brydlon i bob man, ond y tu hwnt o gynnar i bob dim, felly mae'n rhaid fy mod wedi etifeddu hynny ganddo fo. Mae hyn yn gyrru Emyr, fy ngŵr, yn benwan, achos mae o yn hwyr yn mynd i bobman, a dwi'n casáu bod yn hwyr! Dwi'n cofio Dad, hefyd, pan o'n ni'n blant, yn mynnu, os oedden ni'n cael benthyg pres gan rywun, ein bod ni'n ei dalu fe 'nôl yn syth. Dwi wedi ffeindio fy hun yn dweud yr un peth wrth fy mechgyn i – 'Gwnewch yn siŵr eich bo' chi'n talu nhw 'nôl', a dwi'n clywed fy hun yn swnio fel Dad. Yr unig beth arall sy'n gyffredin rhwng Dad a fi, falle, yw bo' ni ddim yn oddefol iawn o bobol ffuantus neu *pretentious* – rydan ni damed bach yn ddiamynedd efo pobol felly.

Ar ôl dechre trwy ddweud nad oedden nhw'n debyg, mi ddaeth y ddau i'r casgliad eu bod yn debycach

44

nag oedden nhw'n sylweddoli! Fydden nhw'n newid rhywbeth amdanynt eu hunain?

OWEN: Baswn i'n lico bod yn greadur sy'n poeni llai a sy'n fwy goddefgar, ond er bo'r cwestiwn yn hollol deg, alla i ddim mo'i ateb – efalle'i bod yn well i chi ofyn i bobol ereill am eu barn am hynny!

MARI: Petawn i'n newid unrhyw beth, papur wal y *lounge* fydde hynny! Ond o ran newid pethau eraill dwi'm yn credu bod pwynt meddwl felly, achos mae'n rhywbeth sy'n amhosib ei neud. Jest gobeithio bo' rhywun yn dysgu o gamgymeriadau, ac yn gwella wrth fynd yn hŷn.

Oedden nhw, neu ydyn nhw nawr, yn anghytuno'n aml?

MARI: Anaml iawn. Does gynno i ddim cof o ffraeo efo fo. Mae gen i gof digio efo fo unwaith, ac mi bwdes am wythnos gyfan. Mi ddeliodd yn fwy urddasol â'r sefyllfa na fi bryd hynny. Yr unig beth falle 'dan ni'n anghytuno arno fo, ddim yn chwyrn, cofiwch, ydi gwleidyddiaeth. Er bo'r ddau ohonon ni 'run ochr i'r ffens, mi rydw i dipyn mwy penboeth na Dad. Mae Dad, dwi'n meddwl, wedi gorfod bod yn ddiduedd, yn rhinwedd ei swydd, ac mae e'n parhau i gadw'i ddaliadau iddo fe ei hun. Mae hynny wedi bod yn destun, nid ffrae, ond yn destun trafodaeth a dadlau eitha difyr ar adegau.

45

Pe byddai gwialen hud ar gael, ac o wybod yr hyn maen nhw'n ei wybod nawr, fydden nhw'n neud unrhyw beth yn wahanol?

OWEN: Mae pob math o bethe mewn bywyd, efalle, y baswn i'n newid, ac mae'r rheini'n gyfrinachol, ond dwi'n credu bo'r *basics* yn iawn. Pe bydde modd newid pethe, baswn i'n lico newid un peth. Dwi'n cofio pan fu i 'nhad farw, ym 1970, roedd Mari'n bump ac Elin yn wyth. Roedd gwasanaeth yng Nghapel y Morfa, Aberystwyth, cyn iddo gael ei gladdu ym Mynwent Llanuwchllyn. Mi benderfynon ni bo'r merched yn rhy ifanc i fod yn yr angladd. Roedd angladd fy nhad yn ddigwyddiad cenedlaethol, bythgofiadwy, a dwi'n difaru erbyn hyn na aethon ni â'r plant, i fod yn rhan o'r angladd. Dyna dwi'n meddwl y baswn i'n lico newid, ond does dim modd gwneud, a dyna ni.

Fe ddywedodd Mari i'w rhieni fod yn gefnogol iawn iddi ym mhob rhan o'i bywyd. Mae cefnogi yn un peth ond rhaid gadael i rywun neud ei ddewisiadau ei hun. 'Smo hynny'n golygu ein bod yn cytuno bob tro â'r dewisiadau hynny. Beth oedd ymateb y tad i ddewisiadau ei ferch?

OWEN: Dwi'n hollol hapus. I ddechrau, gobeithio na faswn i'n trio dylanwadu arni, achos mater iddi hi fyddai dewis gyrfa, a dewis gŵr. Mi roeddwn i wedi cael y profiad o rywun yn dylanwadu arna i, ryw gymaint, ond gyda Mari, mi lithrodd i mewn i fyd y ddrama. Aeth hi i Goleg Rose Bruford yn Kent, ac felly mi roedd hi ar ei ffordd. Dwi'n cofio un o'i swyddi cyntaf hi – rhan yn un o ddramâu mawr cyntaf S4C, *Rhosyn a Rhith/Coming Up Roses*, ac mi aeth hi am gyfweliad ar gyfer y swydd. Roedd ei Saesneg hi'n dipyn o broblem bryd hynny. Y Saesneg cyntaf dwi'n cofio Mari'n siarad oedd ar ôl iddi ddod adre o'r ysgol feithrin yng Nghaerdydd ryw ddiwrnod. Roedd hi'n mynd ar y bws i'r ysgol, a gŵr o'r enw Mr Sing oedd yn gyrru'r bws. Ychydig iawn o Saesneg oedd gan Mr Sing ei hun, ond roedd e wedi bod yn dysgu Saesneg i Mari. Ar y diwrnod yma, a hithe newydd ddod o'r bws, wrth basio Parc y Rhath, mi ddwedodd '*Them there's Chinese chickens!*' . . . geiriau roedd hi wedi'u dysgu gan Mr Sing, a dyna'r peth cyntaf dwi'n ei chofio hi'n dweud yn Saesneg! Ta beth, mi roedd y cyfweliad ar gyfer y rhan actio yn Saesneg, ac roedd hi isie gwneud argraff ar safon ei chyfweliad, a dangos bod ganddi bob math o ddiddordebau, ac mi ddwedodd '. . . *and I also like ride horsing!*'

Mi ffeindiodd Mari ei ffordd ei hun yn ei gyrfa. Aeth i fyw yn y Felinheli ymhell cyn iddi gael gŵr – lle 'ffantastic' rŵan oherwydd yr holl weithgarwch a chynhyrchwyr annibynnol sydd yno, ac mae'n bentref lle mae lot o bobol ifanc wedi ymgartrefu. Mi roeddwn i'n hollol hapus efo beth oedd hi'n wneud. Bu'n byw am nifer o flynyddoedd yn y Felinheli mewn tŷ bach ar ei phen ei hun, ac alla i ddim meddwl am le gwell i rywun fel hi.

Roedd Mari, tra oedd yn Ysgol Llanhari, yn ferch fyrlymus iawn, yn un o griw o ferched byrlymus, oedd yn cynnwys y Prifardd Mererid. Mi roedden nhw wedi ffurfio grŵp bach o'r enw 'Casbach'. Pam 'Casbach', dwi ddim yn gwybod, ond roedden nhw'n ysgrifennu ac yn canu eu caneuon eu hunain. Dwi'n cofio geiriau un ohonyn nhw – 'Dash! Does gen i ddim cash!' Dwi'm yn gwybod ai Mererid ysgrifennodd honno! Mae nifer o'r criw yna'n byw yn ardal y Felinheli, ac mae'n dda gweld dylanwad ysgol yn cael ei gario i mewn i'r gymdeithas. Dwi wrth fy modd ei bod hi'n byw yno, mewn lle mor braf, a'i bod hi'n cymryd gymaint o ran ym mywyd y gymdeithas – mae'n Gadeirydd Llywodraethwyr yr ysgol, ac yn y blaen ac yn y blaen. Am ei dewis hi o ŵr, Emyr, wel faswn i ddim wedi dylanwadu arni fan'na chwaith, ond dwi'n fwy na hapus gyda'i dewis! Maen nhw wedi magu tri o fechgyn hyfryd iawn – Ifan, sy'n bedair ar ddeg, Aled, sy'n un ar ddeg, a Gwion, sy'n wyth. Dwi ond yn gobeithio y caf innau iechyd yn ddigon hir i weld yr wyrion yn tyfu am rai blynyddoedd – tri Mari, ac Owen bach, mab Elin, sydd newydd gyrraedd – dwi'n falch iawn ohonyn nhw i gyd.

Taid gydag Ifan, y cyntaf o'r genhedlaeth nesa

MARI: Symudais i'r Felinheli ym 1986, ar ryw fath o hap a damwain, a dweud y gwir. Roeddwn i'n gweithio efo Theatr Bara Caws ar y pryd, ac roedd gen i jest digon o bres i roi lawr ar dŷ fan hyn – dim cweit digon i roi ar dŷ yng Nghaerdydd, ond ar ôl gweithio fan hyn, roeddwn wrth fy modd yn byw mewn lle mor wledig. Gan fy mod i wedi byw yng Nghaerdydd a Llundain, doeddwn i'm yn nabod unrhyw un pan symudais i fyw yma, ar wahân i Mary Noel Jones, oedd yn cyfeilio i Driawd y Coleg, ac yn cyfeilio i Mam, hefyd, pan oedd Mam yn

Tad balch ar ddydd priodas ei ferch

canu. Mae Mary wedi marw rŵan, ond hi oedd yr unig un roeddwn i'n nabod yn y pentref i gyd. Erbyn hyn mae gen i gylch eang iawn o ffrindiau ac yn magu teulu yma. Alla i ddim dychmygu byw yn unman arall erbyn hyn.

Mi roedd Mam a Dad yn licio Emyr yn syth bìn – yn hapus 'mod i wedi ffindio Cymro Cymraeg yn byw yn y Felinheli, achos cafodd Mam ei magu yn y Felinheli nes ei bod yn ddeuddeg oed. Roedd hi'n gweld y peth fel cylch yn cau – fy mod i 'nôl lle cafodd hi ei magu. Mi roedden nhw'n nabod rhieni Emyr ar y pryd, ac yn gyrru mlaen yn dda efo nhw, felly roedd yna gyfeillgarwch yn bodoli'n barod rhwng y rhieni-yng-nghyfraith.

Mae cryn bellter rhwng Caerdydd a'r Felinheli. Ydi hyn yn broblem wrth drio cadw cysylltiad?

MARI: Ydi, mae e'n bell, ond dwi'n mynd lawr i Gaerdydd yn aml efo'r gwaith, ac ma Dad yn hoff o unrhyw esgus i deithio ar drên i unrhyw le, wedyn mae o'n ffindio'i ffordd o Gaerdydd i Fangor yn weddol aml, ac mae o'n dod yma i aros, sy'n braf iawn.

Yn sicr, mae bywyd y naill wedi dylanwadu ar y llall, ond pwy arall ddylanwadodd ar y ddau ohonyn nhw?

OWEN: Norah Isaac, y brifathrawes yn ysgol fach Aberystwyth. Hi oedd y dylanwad mwyaf arna i. Ym myd darlledu, wedyn, Nan Davies. Dwi'm yn credu bod Cymru wedi sylweddoli cymaint oedd ei dyled iddi. Hi oedd y gyntaf i greu rhaglen ddyddiol yn y Gymraeg ar deledu, sef *Heddiw*, a bu'n llwyddiant ysgubol, nid yn unig yng Nghymru, ond trwy Brydain; ac fe wnaeth hynny drwy gasglu tîm o bobol at ei gilydd oedd yn ifanc ac yn frwdfrydig, er yn ddibrofiad. Dan ei harweiniad hi fe ellid dweud fod llawer o bobol greadigol oedd yn sylfaen i ddarlledu'r blynyddoedd wedyn, yn cynnwys S4C, wedi cychwyn ar y daith. Roeddwn i'n un o lawer a ddysgodd y grefft o gyfathrebu gan Nan Davies. Mae'n beth rhyfedd, ond mae merched wedi dylanwadu'n gryf arna i trwy gydol fy oes.

51

MARI: Yn yr ysgol, wel, mae'n anodd dweud mor bell yn ôl ag ysgol gynradd, ond yn yr ysgol uwchradd, pan ma rhywun yn fwy agored i ddylanwadau, mi roedd Euros Jones Evans, yr athro Cymraeg, yn ddylanwad mawr, a Rhianon Rees, yr athrawes ddrama, hefyd. Daeth Rhiannon Rees i Lanhari i ddysgu pan oeddwn i yn y drydedd flwyddyn – adeg pan ŷch chi'n gallu mynd braidd yn wyllt, ac mi oeddwn i wedi dechre mynd felly. Pan sefydlwyd yr Adran Ddrama, mi newidiodd fy mywyd. Roeddwn wrth fy modd yno, a bu'n gyfrwng i mi fagu hyder. Roedd Rhiannon yn hwb mawr i mi. Rhoddodd y cyfle i fi ddangos beth o'n i'n gallu neud – 'mod i'n gallu actio, a bu'n gefnogol iawn ymhob ffordd. Roedd Euros Jones Evans yn athro ysbrydoledig, a'i frwdfrydedd yn heintus. Roedd e'n amlwg wrth ei fodd yn dysgu, ac yn trosglwyddo gwybodaeth i ni'r disgyblion ac, o ganlyniad, roedden ni'n mwynhau ei ddosbarthiadau. Mi ddysgodd lawer i mi am werthfawrogi llenyddiaeth – rhywbeth y bydda i'n ddiolchgar iddo amdano am byth. Rhaid cofio ffrindiau, wrth gwrs; maen nhw'n ddylanwad mawr. Dwi'n meddwl bod eich dewis o ffrindiau hefyd yn llywio'ch llwybr chi trwy fywyd, a dwi wedi bod yn ffodus iawn yn fy ffrindiau i ers dyddiau ysgol.

Beth sy'n eu hysbrydoli a'u gyrru 'mlaen?

MARI: Ar hyn o bryd, *deadlines*! Dim byd arall ond *deadlines*. Dwi'n eithaf cydwybodol yn yr hyn dwi'n neud, a dwi'n casáu siomi pobol ar ôl addo gwneud rhywbeth. Dwi'n casáu bod yn hwyr mewn unrhyw ffordd, a dwi erioed wedi bod ar ei hôl hi yn rhoi gwaith i mewn. Ar ôl dweud hynny, ma *deadlines* yn gallu bod yn ben tost. Pan fydda i'n ysgrifennu rhywbeth, mae fy mhen yn llawn syniadau am y peth nesa, ac mae'r *deadlines* yn rhwystro rhywun rhag mynd ar ôl y peth nesa, nes bo'r prosiect cyfredol wedi'i gwblhau. Dwi'n trïo peidio'i gadael hi tan y funud ola, achos wedyn, mi fydd yn banic gwyllt, ac mi fydda i lan drwy'r nos yn gorffen y gwaith. Ond heb *deadlines*, fydde dim yn cael ei wneud.

OWEN: O gofio 'mod i wedi bod yn Ysgol Gymraeg Aberystwyth, yr ysgol Gymraeg gyntaf un, mae gweld fod yna rwydwaith o ysgolion cynradd, uwchradd, ac ysgolion meithrin Cymraeg yn ysbrydoliaeth fawr iawn, yn sicr – mae'n wyrth fod hyn wedi digwydd. Ac eto, ar ôl dod i fyw i gyffuniau un o'r ysgolion mawr, llewyrchus, yma yng Nghaerydd, dwi'n cael fy siomi o glustfeinio ar y plant a chlywed cyn lleied o Gymraeg yn cael ei siarad y tu fas i'r ysgol. Ar un llaw, mae'r holl ysgolion yma yng Nghymru, gyda chanran mor uchel o blant o gartrefi di-Gymraeg ynddyn nhw yn wych ond, ar y llaw arall, nid y Gymraeg yw eu dewis nhw o iaith i gyfathrebu ynddi. Dyw e ddim yn feirniadaeth ar yr athrawon – mae grym diwylliant mor gryf ag un y Saesneg yn ei gwneud hi'n anodd i'r Gymraeg ddal ei thir – dyma unig gysylltiad nifer o blant â'r Gymraeg, ac eto, cyfrwng y cyfathrebu ydi'r Saesneg. Wedi dweud hynny, mae'r hyn sydd wedi digwydd yn wyrthiol – baswn i lot mwy trist tase 'na ddim rhwydwaith o ysgolion Cymraeg ar gael.

Beth sy'n bwysig i'r ddau?

OWEN: Y peth pwysig i mi yw bod yn deg â phawb, a chael fy nhrin yn deg, a trio byw bywyd mor gyson ag y medrith dyn.

MARI: Tegwch – fod pawb yn cael tegwch a chware teg. Dwi'n meddwl 'mod i wedi etifeddu hynny gan Dad. Dwi'n teimlo'n flin bod Dad yn dioddef. Ma hynny'n beth rhwystredig iawn.

Beth sy'n codi gwên ar wyneb y ddau – ydyn nhw'n rhannu hiwmor? Beth sy'n gwneud iddyn nhw chwerthin?

MARI: Dwi'm yn gwybod, ond dwi'n chwerthin a chrio'n hawdd iawn, weithiau oherwydd ffilm neu lyfr da. Ma *Cinema Paradiso*, Giuseppe Tornatore, yn ffilm sy'n effeithio arna i bob amser. Mae'n sôn am ddathlu ieuenctid, cyfeillgarwch, a hud a lledrith y sinema. Hefyd, mae'r llyfr *Birdsong* gan Sebastian Faulks yn codi deigryn bob tro dwi'n ei ddarllen e. Mae'r erchyllterau yn cael eu disgrifio mor graffig,

ac ma rhywun yn gallu uniaethu â'r cymeriadau, a
theimlo'u hemosiwn.

OWEN: Rwy'n gwybod beth sy'n neud imi grio, ac
yn fy ngwneud i'n flin – pobol sy'n siarad yn rhy
hir! Mae yna bregethwyr sy'n pregethu'n rhy hir,
mae yna anerchwyr sy'n siarad yn rhy hir – 'dyn ni
yng Nghymru ddim wedi dysgu'r gyfrinach o dorri
rhywbeth yn ei flas. Ond mater o fi fel unigolyn yn
bod yn anoddefgar ydi hwnna, falle. Ar y llaw arall,
beth sy'n neud i mi chwerthin? Dim syniad, bydd
rhaid i mi feddwl am hwnna; yn amlach na pheidio,
mae'n dibynnu ar yr achlysur!

At y diddordebau a'r hyn maen nhw'n wneud yn eu
horiau hamdden. Beth am hoff lyfr, i ddechrau?

OWEN: Mae'n debyg na faswn i byth yn cael
maddeuant 'swn i ddim yn dweud *Cam wrth Gam*,
sef llyfr Mari, a dwi'n edrych ymlaen at ddarllen y
nofel newydd. Dwi'n falch iawn o'r hyn mae wedi'i
gyflawni, a dwi'n mwynhau darllen ei gwaith. Yn
gyffredinol, dwi'n mwynhau darllen bywgraffiadau,
a does gen i ddim un llyfr yn arbennig.

MARI: Wel mae fel sôn am hoff gerddoriaeth – mae
gen i gymaint dwi'n licio, fedra i ddim dweud pa un.
Fel y soniais i eisoes, dwi wedi mwynhau *Birdsong*
gan Sebastian Faulks yn ddiweddar. Dwi wedi
darllen ei lyfrau i gyd, am i mi gael blas ar y cyntaf.

Pam? Wel, mae'n cynnwys pob dim fydde rhywun isie mewn llyfr – cyffro, cariad, chwant, pathos, ac mi agorodd fy llygaid i erchyllterau'r Rhyfel Byd Cyntaf. Er 'mod i'n gwybod rhywfaint o hanes y rhyfel, roedd y llyfr hwn yn disgrifio'r manylion – pethe fel y chwain yn y dillad, a bod y dynion, yn milwyr cyffredin a'r swyddogion, yn gorfod gwisgo'r dillad yma am wythnosau os nad misoedd, heb eu golchi. Dychmygwch eich bod chi'n gorfod dioddef hynny, heb sôn am fod ag ofn am eich bywyd bob eilad o'r dydd! Mae'r disgrifiadau yn graffig iawn, ac mae'n llyfr fydda i'n mynd 'nôl ato, dro ar ôl tro.

Ond mae chwaeth rhywun yn newid wrth ddarllen llyfrau ac wrth wrando ar gerddoriaeth, hefyd, ac ar wahân i ganu gwlad, mi fydda i'n gwrando ar bob math o gerddoriaeth.

OWEN: Dwi ddim yn ddyn cerddorol, fel ŷn ni wedi sôn eisoes, ond dwi'n hapus yn gwrando ar gerddoriaeth. Dwi wrth fy modd gyda Sibelius – gwladgarwr o gerddor, a 'Finlandia' yn arbennig. Wrth gwrs, mae geiriau Lewis Valentine fel ail anthem genedlaethol i ni – 'Dros Gymru 'ngwlad'. Pan ddaw hi i gerddoriaeth fwy Cymreig a Chymraeg, yna 'Yma o Hyd' gan Dafydd Iwan fyddai'r dewis, achos mae'r ffaith hynny'n ddigon o wyrth i'w ddathlu, a'r gân yn ysbrydoliaeth.

Hoff fardd?

MARI: T. H. Parry-Williams ydi'r *all time favourite*, yn enwedig ei sonedau. Mae 'Gweddill' yn un o'r ffefrynnau, ac mae'n digwydd bod yn soned sy'n sôn am ddylanwad rhieni ar blentyn, ac am y modd mae'r dylanwad yn parhau ar ôl i'r rhieni fynd – bod mam a thad yn dal ynoch chi. Dwi'n hoff iawn ohoni.

OWEN: Dwi'n hoffi gwaith R. Williams Parry, achos dwi'n gallu deall beth mae o'n ysgrifennu! Dwi ddim yn un o'r bobol hynny sy'n lico'r farddoniaeth dywyll yma. Mae 'Englynion Coffa' Hedd Wyn yn ffefrynnau, yn sicr, a does dim rhyfedd bod Hogiau'r Wyddfa wedi gosod cymaint o farddoniaeth R. Williams Parry i gerddoriaeth – mae'n rhwydd iawn i'w ddeall a'i fwynhau.

Mae'r ddau yn byw bywyd llawn, prysur. Oes 'na amser i ddiddordebau?

MARI: Mae'n fater o wneud amser. Pan ddaw'r cyfle dwi'n hoffi darllen, cymdeithasu, cerdded, a theithio. Pe na bai gen i blant, a dwi'm yn dymuno bod hebddyn nhw o gwbl, ond petaswn i'n ferch sengl, baswn i'n sicr yn teithio o gwmpas y byd.

Cyfle prin i gerdded

OWEN: Y trenau wrth gwrs, darllen, cwmnïa efo ffrindiau, mynd allan am dro, pysgota – nid 'mod i'n bysgotwr da, cofiwch, ond dwi'n cwrdd â ffrindiau sy'n pysgota. Ar ôl byw bywyd reit brysur, oherwydd afiechyd, pleser ydi bywyd, rŵan. Ches i erioed lawer o amser ar gyfer y diddordebau, a dwi'n teimlo ychydig bach yn euog 'mod i'n llwyr ymblesera nawr, ond mae fy ffrindiau yn garedig iawn ac yn werthfawr iawn – efalle taw rŵan mae dyn yn sylweddoli pwy ydi ei ffrindiau, ac yn gweld eu gwerth.

Beth am grefydd? Ydyn nhw'n bobol grefyddol? Ydi crefydd yn bwysig iddyn nhw?

OWEN: Dwi'n mynd i'r capel. Dwi ddim yn gapelwr mawr nac yn grefyddwr mawr, ond alla i ddim peidio credu bod yna rywbeth yn rheoli'n bywyd ni, ac er nad ydw i'n deall yn iawn be 'di be yn hynny o beth, dwi'n mynd i'r capel i gael fy atgoffa o hyn.

MARI: Mae crefydd yn bwysig i mi, er na fedra i ddweud 'mod i'n credu. Mewn pentref fel y Felinheli, un capel sy gynnon ni erbyn hyn, a dwi'n ei weld e fwy fel sefydliad pwysig o ran y Gymraeg nag o sefydliad crefyddol – rhywle mae'r plant yn gallu mynd lle nad oes rhaid troi i'r Saesneg o gwbl. Maen nhw'n cael cyfarfod â'u ffrindiau yn yr ysgol Sul, a dwi'n gwybod, yn hollol saff, mai Cymraeg ydi'r iaith bob tro – does 'na ddim cwestiwn o droi i'r Saesneg. Petai o ddim ond am hynny, mae'n werth ei gefnogi. Dwi'n falch i mi gael fy nghodi yn yr ysgol Sul – mae'n sylfaen dda i rywun, ac o ran yr ochr berfformio, dyna lle mae'r mwyafrif ohonon ni wedi cael ein cyfle cyntaf. Dwi'n cofio'r diweddar Alun Williams yn ffonio adre ar ôl y gwasanaeth i'm llongyfarch i ar y ffordd roeddwn i wedi darllen yr emyn, a dwi'n cofio meddwl, 'Dim ond darllen wnes i. Mae'n rhaid 'mod i'n gallu gwneud hynny!' – bod e'n rhywbeth naturiol, felly. Mae rhywun yn cael profiadau fel yna'n gynnar iawn, sy'n llywio eich dewis chi yn ddiweddarach yn eich bywyd.

Yn ddiweddar daeth rhyfel yn agos iawn atom yma ym Mhrydain, ac fe orfodwyd ni, felly, i wynebu'n teimladau tuag ato. Oedd ganddyn nhw deimladau cryf am ryfel?

OWEN: Oes. Fel y cofiwch, mi fues i yn ysgol fonedd y Crynwyr yn Reading, ac mae'r Crynwyr yn bobol fawr am heddwch. Mi ddysgon nhw lawer iawn i mi, ac ma dyn wedi dysgu mwy fyth ers hynny, mor wirion ydi rhyfel. Yn ddiweddar, yn Irac, mae yna ynfytrwydd llwyr – dioddef, a marw – oherwydd bod gwledydd mawr y byd, gan gynnwys Prydain, mae'n ddrwg gen i ddweud, wedi penderfynu eu bod nhw'n mynd i ddangos be 'di be, a dymchwel rhannau helaeth o'r wlad, gan greu anhapusrwydd a cholledion di-ri. Mae angen meddwl cyn dechre rhyfel, sut mae ei gorffen hi. Ŷn ni'n gweld y dyddie yma, yr anhapusrwydd sy'n dod yn sgil rhyfel. Mae'n anodd gen i gredu bod yna unrhyw amgylchiadau lle mae yna gyfiawnhad i ryfel, ac yn sicr 'dan ni wedi cael ein hatgoffa o'r wers honno yn ystod y misoedd diwetha 'ma.

MARI: Rwy'n ffieiddio rhyfel – dwi jest ddim yn gweld y pwynt.

Bu'r Gymraeg yn rhan annatod o'r teulu hwn erioed. Beth yw eu teimladau tuag at y Gymraeg a'r Gymru gyfoes?

MARI: Wel, mae'r Gymraeg yn rhan ohona i. O ran ei dyfodol hi, mae'n ansicr iawn, faswn i'n dweud. Dwi ddim yn gwybod ai mater o 'mod i rŵan yn byw yn y Felinheli, ac wedi cael fy magu yng Nghaerdydd ydi o, ond yn blentyn yn y brifddinas, roeddwn i'n ymwybodol bod fy rhieni wedi brwydro er mwyn sicrhau i mi gael addysg drwy gyfrwng y Gymraeg. Dydi 'mhlant i, ddim tan yn ddiweddar, wedi bod yn ymwybodol o gwbl bod yna frwydr, oherwydd pan symudes i yma, ryw bymtheg mlynedd yn ôl, mi roedd hi'n Gymreigaidd iawn yma. Erbyn hyn, er ei bod yn dal i fod yn Gymreigaidd, mae'r plant yn ymwybodol bod yna fewnfudwyr, bod Saeson yn dod i'r ysgol, sy'n newid iaith yr ystafell ddosbarth. Felly, lle ro'n i'n arfer meddwl, 'Braf ar fy mhlant yn cael bywyd naturiol trwy gyfrwng y Gymraeg; 'dan ni ddim yn gorfod meddwl am siarad Cymraeg, mae'n beth mor naturiol iddyn nhw neud', erbyn hyn, fedra i ddim dweud bod hynny'n wir, ac maen nhw, hefyd, wedi dod yn ymwybodol o hynny.

OWEN: Dwi'n falch bod ein hieuenctid ni'n ymwybodol o bwysigrwydd yr iaith, ac mae'r Gymraeg lle ma hi rŵan oherwydd eu hymdrechion nhw dros y degawdau diwethaf. Ond mae ei sefyllfa hi'n fregus, ac mae'n rhaid i ni fod fel 'y gwyliwr ar y tŵr' yng Nghantre'r Gwaelod – yn fythol wyliadwrus, gan obeithio bod sylfeini'r iaith Gymraeg yn ddigon cadarn, er gwaethaf pob grym – y Saesneg yn bennaf – a'r ffaith ein bod ni mor agos at Loegr. O ystyried popeth, mae'n wyrthiol bo'r iaith byw fel y ma hi. Dwi'n mawr obeithio y bydd hi byw, ac y bydd pobol yn dal i weld ei phwysigrwydd hi ymlaen i'r mileniwm newydd yma.

MARI: Baswn i'n lico cael gwared ar ddifaterwch, ac mae hynny'n wir am y Cymry Cymraeg a'r di-Gymraeg. Pe basen ni i gyd yn cael gwared ar hynny, ac yn dysgu parchu'n gilydd, mi fase'n Gymru llawer iawn brafiach byw ynddi. Dwi'n cofio meddwl, yn blentyn – 'Pe byddwn i'n dal yn fyw yn y flwyddyn 2000, byddwn i bron yn ddeugain!' Wedyn mi ddoth dwy fil, dros nos bron iawn, ac mi wnaeth hynny fy ysgwyd i o ran fy sefyllfa, ac o ran fy oed i, a gwneud i mi ofyn lle rydw i arni yn fy mywyd – bod blynyddoedd yn hedfan heb i fi eu gweld nhw. Roedd hynny'n un peth, ond o ran ystyriaethau mwy dwys am Gymru, yr unig beth arall faswn i'n lico gweld yn digwydd yng Nghymru yn y mileniwm newydd yma, yw ein bod ni'n magu ychydig mwy o asgwrn cefn, a chael gwared ar waseidd-dra.

Bu darlledu, hefyd, ac S4C yn arbennig, yn rhan o fywyd y teulu. Beth yw'r teimladau tuag at y Sianel heddiw?

OWEN: Tadol iawn. Fel ŷch chi'n gwybod, cefais y fraint o arwain criw bychan ohonom ni yn sefydlu S4C, a sicrhau, efo'r criw ymrwymedig yma, nifer ohonyn nhw wedi gadael swyddi saff, bod yna ddim mynd 'nôl wedi'r tair blynedd o brawf. Mi roedd yn gyfrifoldeb a straen, yn enwedig o gofio'r holl aberth a fu er mwyn ei chael hi yn y lle cyntaf. Dwi'n teimlo balchder am S4C – bod y cerrig sylfaen wedi'u gosod. Mater i bobol eraill wedyn ydi sut mae'r sefydliad hwnnw'n cael ei addasu yn ôl anghenion yr oes. Mae pethe'n wahanol iawn i S4C rŵan i fel oedd o i ni ym 1982, ond dwi'n edrych yn ôl gyda balchder am osod y sylfeini.

MARI: Dwi'n meddwl bod S4C a'r cyfryngau yn gyffredinol yn ddiwydiant pwysig iawn. Mae lot o bobl yn wfftio pobol y cyfryngau ac, wrth gwrs, mae rhai sy'n rhoi enw drwg i'r cyfryngau, ond mi fasen

Gydag Elin a Mari ar achlysur ymddeol o S4C

ni'n dlawd iawn yn yr ardal hon – Caernarfon a Bangor – yn economaidd ac ar yr ochr ddiwylliannol heb y diwydiant hwn. Mae'r sector annibynnol wedi bod mor gryf yn yr ardal yma, ac mae wedi cyflogi cannoedd os nad miloedd o bobol yn lleol. Mae hyn wedi golygu bod pobol wedi gallu aros yn eu cynefin, yn hytrach na bod pawb yn gorfod mynd lawr i Gaerdydd i chwilio am waith. Mae e wedi rhoi dewis i bobol, ac ma hwnna'n gyfraniad mawr mewn ardal fel hon. Ar y cyfan, baswn i'n dweud bod cynnyrch S4C yn safonol iawn; wrth gwrs ma 'na lot o bethau mae rhywun yn meddwl sy'n *rubbish* hefyd, ond sbïwch chi ar unrhyw sianel arall, ac mi allech chi ddweud yr un peth – mi gewch chi gymaint os nad mwy o *rubbish* ar y sianeli eraill hefyd. Dwi'n meddwl bod rhaid i chi roi pethau yn eu cyd-destun – oes, mae yna bethau gwael ar S4C, ond mae yna bethau gwirioneddol wych hefyd.

Beth ŷch chi fwya balch ohono, a shwd basech chi'n licio cael eich cofio?

MARI: Dwi'n falch iawn o'r plant. Tasa rhywun wedi dweud wrtha i pan o'n i dipyn iau, y basa gen i dri o feibion, ac yn byw yma, faswn i byth, byth wedi'u coelio nhw. Dwi'n falch iawn o'r tri ohonyn nhw.

Am sut baswn i'n licio cael fy nghofio, wel, fel hen hogan iawn!

Ydi'r plant yn dilyn ôl troed eu mam, ac am fynd i berfformio?

Na, faswn i ddim yn dweud eu bod nhw, ddim ar hyn o bryd. Mae'r ddau hyna'n *football mad*, ond os oes natur perfformio yn un ohonyn nhw, y fenga ydi hwnnw, Gwion, ond mae o'n ifanc, braidd, i fedru dweud i ba gyfeiriad y mae o'n mynd i fynd. Yn sicr, mae o'n licio clownio o gwmpas!

OWEN: Wel, baswn i'n licio jest cael fy nghofio, yn un peth! Yr unig obaith sy gen i o unrhyw un yn cofio amdana i yw yn nhermau 'y creadur 'na sefydlodd S4C'. Job o waith ydoedd, ond mae dyn yn ymfalchïo ynddo, achos un peth oedd gweithio i'r BBC a rhedeg peiriant oedd yn bodoli eisoes, peth arall ydi cychwyn rhywbeth gyda chriw bach, o ddim byd, a chodi adeilad sydd wedi sefyll am dros ugain mlynedd, bellach. Nid llawer sy'n cael y fraint o ddechre rhywbeth newydd sbon, a dwi'n teimlo'n freintiedig iawn 'mod i wedi cael y cyfle.

Shwd fydden nhw'n diffinio cariad?

OWEN: Mae cariad yn allweddol i'n byw ni ac yn allweddol i'n crefydd ni – 'Duw cariad yw'. Cariad yw'r grym mawr mewn bywyd, lle 'dach chi'n poeni mwy am rywun arall nag amdanoch chi'ch hunan.

MARI: Mae'n amhosib ei ddiffinio. 'Dach chi'n

gwybod os ydych chi'n caru rhywun, ond fedrwch chi ddim dweud be, na pham, na sut ma hynny'n bod.

I gloi'r sgwrs, beth am ddisgrifio'u hunain, a'i gilydd, mewn tri gair?

OWEN: Dwi'n saff, gofalus a chydwybodol.

A Mari?

Diwyd, dawnus, byrlymus.

Edrych yn ôl gyda'n gilydd

MARI: Dwi'n mynd i ddyfynnu bardd enwog – 'Dwi'n wych, dwi'n wael, dwi'n gymysg oll i gyd.'

A'ch tad?

'Dwi'n wych, dwi'n wael, dwi'n gymysg oll i gyd.'

I Gloi

Ym 1982, bûm inne'n ddigon ffodus i ymuno ag S4C fel un o'r tîm o'r tri chyflwynydd cyntaf. Fy 'moss' bryd hynny oedd Owen Edwards. Fel y mwyafrif o Gymry Cymraeg fy nghenhedlaeth, roeddwn yn gwybod digon amdano fe a'i deulu i fod mewn rhyw fath o barchedig ofn pan ymunais â'r Sianel. Mi newidiodd hynny o fewn y dyddiau cyntaf, pan ddeuthum, fel un o'r criw ifanc, i nabod y gŵr cynnes, caredig, hwn oedd yn bennaeth arnon ni. Erbyn hyn, mae ei gyfraniad i ddarlledu yng Nghymru yn wybyddus i ni i gyd, ond ychydig ohonon ni gafodd y pleser o rannu bwrdd cinio ag ef yn y cantîn, rhannu sigarét mewn stiwdio, a churo ar ddrws ei swyddfa a dweud 'Help!' pan fyddai gwaith cyflwyno'n mynd yn drech na ni! Beth bynnag arall oedd yn galw ar y pryd, a dwi'n siŵr, fel cyfarwyddwr, bod ganddo broblemau pwysicach na'n rhai i ar ei blât, roedd e bob amser yn barod i wrando a chynnig gair o gyngor.

Ychydig o'r gynulleidfa gartre a wyddai fod yna un achlysur blynyddol yn denu pob aelod o staff S4C i ardd gefn tŷ yng Nghyncoed, Caerdydd, i rannu gwydraid o win a *burger* mewn bap gydag un o gymeriadau enwoca'r genedl. Bob haf bydde Owen yn cynnal barbeciw i'r staff, ac os na fyddai'r tywydd yn caniatáu i ni neud ein 'enjoio' y tu fas, yna bydde'r tŷ cyfan dan ei sang o bobol, a'r croeso'n gynhesach na'r tywydd. Dyma'r tro cyntaf i mi gwrdd â gweddill y teulu – Shân, Elin a Mari – y merched, wrth gwrs, yn perthyn i'r un genhedlaeth â ni'r criw ifanc oedd ar y staff, a Shân yn enw a llais cyfarwydd iawn.

Fel cyflwynydd oedd yn ymddangos yn nosweithiol rhwng rhaglenni am gyfnod o ryw wyth mlynedd, cefais inne fwy o gyfle na llawer i weld Mari'n datblygu fel actores, ac roedd balchder ei thad yn ei llwyddiant hi a llwyddiant Elin yn y byd cerddorol yn destun sgwrs yn amal o gwmpas y bwrdd cinio yna y soniwyd amdano eisoes.

Ar yr olwg gyntaf, mae Owen a Mari'n ddigon annhebyg – o ran pryd a gwedd mae Mari'n debyg iawn i'w mam, ond ar ôl sgwrsio gyda'r ddau ar gyfer y gyfrol fechan hon, mae yna gryn debygrwydd rhwng y tad a'r ferch. Mae'r un parodrwydd i siarad, a'r un gonestrwydd yn eu hatebion, yn rhywbeth sy'n taro dyn yn syth. Pan godais y ffôn a gofyn a fyddent yn barod i fod yn rhan o'r gyfres hon, cefais fy atgoffa'n syth o'r dyddiau yna o guro ar ddrws swyddfa yng Nghlôs Sophia, yr 'Help!' yna, y drws agored, a'r ateb parod.

Mae balchder y naill yn llwyddiant y llall yn amlwg, hefyd, y goddefgarwch o wendidau ei gilydd.

Bu'r teulu yma o dan chwyddwydr y genedl am dros ganrif a mwy – rhywbeth y mae Owen a Mari yn ymwybodol iawn ohono fe. Mae'n amhosib anwybyddu teulu ac etifeddiaeth, ond mae'r ddau wedi llwyddo i dorri eu cwys eu hunain a gadael eu

hôl ar eu meysydd gwahanol. Mi ddwedodd Owen
iddo ddefnyddio cyfrwng oedd yn berthnasol i'w
oes, fel y gwnaeth ei dad a'i daid o'i flaen; ac mae
Mari, hithau, wedi gwneud 'run peth, ar sgrin fach
ac, yn fwy diweddar, mewn print. Er bod Owen, yn
rhinwedd ei swydd, yn gyfrifol am lot o swsio
gwlyb ar set deledu cartref Edwards, y tu ôl i'r
ddelwedd gyhoeddus, cawsom ddarlun hefyd o
fywyd teuluol cyffredin iawn – Dad ar ei bedwar yn
chwarae mul, a phlant yn dwyn bananas o'r bwrdd
cinio! Smo'r teulu hwn mor wahanol â hynny wedi'r
cyfan!

Mae cariad tuag at y Gymraeg yn disgleirio trwy
sgwrs y ddau ohonynt, ac er i Owen a Mari adael
Cymru am gyfnod yn eu hieuenctid, a derbyn tolc
sylweddol o'u haddysg yn Lloegr, doedd dim
cwestiwn o gwbl na fyddai'r naill na'r llall yn
dychwelyd a chodi teulu yma. Mae'r ddau, hefyd, yn
ymwybodol iawn o'u dyled i bobol eraill, ac o
ddylanwad y personoliaethau hynny arnynt.

Mae Mari, bellach, wedi hen brofi ei hun fel
actores. Yn ystod y blynyddoedd diwethaf, mi
ddangosodd dalent ysgrifennu gwych, hefyd, a
dwi'n siŵr y gwelwn ei chyfraniad i'r byd llenyddol
yn cynyddu yn ystod y blynyddoedd a ddaw.

Mae'r ddwy genhedlaeth yma wedi etifeddu nifer
o rinweddau'u cyndeidiau. Yn eu plith, a'r mwyaf
amlwg, efallai, yw'r awydd i fentro a'r gallu i
arbrofi. Canran fechan iawn o'r boblogaeth sy'n
mentro creu gyrfa ar lwyfan, fel y gwnaeth Mari, ac

fel Cymraes Gymraeg, llwyddo yn ffau'r llewod Seisnig. Faint o Gymry Cymraeg welodd botensial darlledu trwy gyfrwng y Gymraeg yn y dyddiau cynnar hynny, fel y gwnaeth Owen, ac a gafodd ddigon o weledigaeth i fentro i fyd ansicr iawn ar y pryd, a chyfrannu mor arbennig i'w lwyddiant yn ystod yr hanner canrif ddiwethaf? Bu'n un o'r arweinwyr, yn un o'r arloeswyr ac, yn ddi-os, yn un o'r cyfathrebwyr gorau a'r darlledwyr mwyaf dylanwadol welodd Cymru erioed. Os oedd ei ymadawiad cynnar o berfformio yn golled i'r gwylwyr, yna mi roedd y diwydiant er ei ennill pan aeth i'r byd gweinyddol.

Mae'r ddau yn ffrindiau mawr, yn deall ei gilydd i'r dim, yn derbyn ei gilydd, yn mwynhau cwmni ei gilydd ac yn ymfalchïo yn ei gilydd.

Erbyn hyn mae yna genhedlaeth newydd o'r teulu. Sgwn i beth ddaw o'r rhain? Amser yn unig a ddengys, ond un peth sy'n sicr, fe gân nhw gefnogaeth y ddwy genhedlaeth o'u blaen i fentro i ba faes bynnag fydd yn cymryd eu diléit, ac i dorri eu cwys eu hunain yn y maes hwnnw – rhywbeth oedd yn bwysig iawn i'r ddau hyn yn eu tro, ac a fu'n sail i'r parch a'r cyfeillgarwch sydd ganddyn nhw at ei gilydd. Yn anad dim, fe gân nhw eu hannog i fod yn Gymry llawen.